KB082267

# 나에게 다정하게 말 걸어준다면

# 나에게 다정하게 말 걸어준다면

오은하

프롤로그

## 나에게 다정하게 말 걸어준다면

누구나 살다 보면 생각지도 못한 일에 부딪히게 됩니다. 그게 좋은 일일 수도 있고 안 좋은 일일 수도 있지만, 인생은 후자일 때가 더 많습니다.

살아가면서 내가 원하는 것을 신에게 기도한다고 이루어지는 것도 아니고, 부모님이 나를 대신해서 살아줄 수 있는 것도 아닙니다.

그럼, 누구일까요?

이 세상에서 오직 단 한 사람, 자기 자신뿐입니다.

지금, 이 순간까지 오는 데 수많은 선택의 조각들이 촘촘히 쌓여 지금의 '나'가 된 것입니다.

이 책은 제가 세상에 태어나 인간으로 살면서 깨달은 조각들을 모으는 마음으로 쓰기 시작했습니다.

어떤 인생이든지 다 빛과 그림자가 있습니다. 행복한 것만도, 불행하지만도 않습니다. 그러므로 누군가의 삶을 동경하거나 눈여겨 볼 필요 없이 당당하고 성실하게 자신의 행복을 이루어가며 사는 것입니다. 저도 한때 두려워서 한 걸음도 떼지 못하고 제자리에 맴돌면서 자신의 한계를 정해 버린 때가 있었습니다.

앞으로 한 발짝 내딛으려면 혹 실수나 하지 않을까 하는 두려움도 컸지요.

이런 제게 용기를 준 것은 다정하게 말을 걸어준 지혜롭고 성숙한 이웃이었습니다. 그리고 독서는 제게 큰 힘이 되었습니다.

삶이 힘들고 지칠 때라도, 혼자만의 잣대로 부정적인 단정을 하지 말아야 합니다, 좋은 이웃들과 마음을 나누고, 다양한 책을 읽고 많은 지혜를 발견하며, 날마다 새 출발을 하는 설렘의 삶이기를 소망합니다.

2023년 어느 초겨울 밤에
마음의 조각들을 모으며

오은하

## 차 례

1장

# 오늘의 날씨는 정겨움입니다

## 우리도 사랑일까요

영화 〈우리도 사랑일까요〉의 원래 제목은 〈Take this waltz〉다. 왈츠라는 춤의 성격을 생각해 보면 왈츠는 파티의 춤으로 새로운 관계를 시작하거나 혹은 결혼을 축하할 때 추는 춤으로 인생의 행복한 순간을 함께 한다. 사랑에 시작과 끝이 있다면 시작은 어쩌면 가장 설레고 황홀한 그 순간이다.

"이 설레는 순간을 잡아. 이 왈츠에 몸을 맡겨."라고 다정한 손을 내미는 듯하다. 이처럼 원제는 새로운 설렘, 즉 새로운 사랑에 몸을 맡기라고 한다.

영화에서 주부인 마고는 이웃집 남자 다니엘에게 큰 호감과 설렘을 갖지만 동시에 느낀 큰 두려움에 감정을 억누르고 남편에게 다가가는 노력을 살짝 해본다. 그러나 이루어질 수 없는 사랑이 더 애틋한 법, 결국 남편을 떠나 새로운 사랑을 택한다.

이 영화를 보고 나서 매우 씁쓸한 기분이 들었다. 인간은 사랑의 결실로 결혼해서 백년가약을 맺는다. 즉 평생을 함께하겠다고 맹세한다는 의미에서 일종의 법률 계약이다. 혼인에는 여러 가지 법에서 정한 의무가 있고 그중에서 대표적인 것이 정조의 의무이며, 이는 여러 인간관계 중 부부관계에만 유일하게 적용하는 규범이다.

처음은 언제나 설렌다.

"New things are all shiny. And new things get old.(새것도 결국 헌 것이 돼. 헌것도 처음에는 새것이었지.)"

인생에서 생기는 빈틈, 그 빈틈들을 꼭 채울 필요는 없다. 사랑 역시 마찬가지다. 사랑의 빈틈이 생길지라도 꼭 그 틈을 다른 사랑으로 채우려고 하지 않고 그대로, 그냥 두어도 된다.

모든 틈을 다른 감정으로 메꾸거나 윤나고 기스조차 안 난 새로운 사랑으로 갈아치울 필요는 없다는 것이다.

오래된 연인은 밥을 먹어도 대화가 없는 것은 당연한 거다. 그것도 사랑이다. 식당에서 고기 구워 주시는 이모님들은 손님들의 눈빛만 봐도 부부인지 불륜인지 확실히 알 수 있다고 한다. 부부들은 맛있는 고기를 먹는 데에 집중하며 가끔 창밖의 먼 산을 바라보는 정도다.

불륜들은 눈을 마주 보며 손도 잡고 할 말이 많아 싱글벙글한다.

반짝이는 것만 심장 떨리는 것만 기쁨과 즐거움을 주는 것만 사랑이라고 생각한다면 인생의 빈틈은 무한하게 돌고 돌 것이다.

*"누군가를 사랑할 때는 노력이 뒤따라야 하는 것이다. 한 발짝 더 내딛거나 때로는 숨 가쁘게 달릴 수도 있다. 사랑은 노력 없이는 안 된다. 사랑은 노력이 상당히 요구되는 것이다.

욕망은 반드시 행동으로 표출되는 것은 아니다. 이 둘의 차이는 '오늘 밤 파티에 가고 싶다.'라는 말과 '오늘 밤 파티에 간다.'는 말의 차이와 같다. 전자는 욕망이고, 후자는 의지에 달렸다. 사랑은 행위로 표현될 때 사랑이다. 사랑은 '오늘 밤 파티에 간다'와 같이 의지의 행동이며, 의도와 행동이 결합한 결과다. 사랑에 빠지는 것은 의지에서 나오는 행동이 아니다. 우리가 아무리 사랑에 빠지려고 마음을 열고 있을지라도 사랑에 빠지는 경험을 못 할 수도 있다. 이와 반대로 사랑을 원하고 있지 않을 때 부적합한 상대와 잘못된 관계란 걸 알면서도 사랑에 빠지는 경험을 할 수 있다. 사랑에 빠지는 감정 자체를 피할 수는 없지만 그러한 감정에 어떤 태도를 취할 것인지는 선택할 수 있다.

사랑에 빠지는 일에는 노력이 필요치 않다. 또한 사랑은 상대에게 모든 걸 거저 주는 것은 아니다. 여기서 분별력이 필요하다. 분별 있게 주고 분별 있게 주지 않는 것이다. 분별 있게 칭찬하고 분별 있게 비판하는 것이다.

진정한 사랑은 감정보다 '의지'에서 나온다. 사랑할 수 있는 능력을 누구에게 집중할 것인지 선택해야 하고 그를 향해 '사랑의 의지'를 집중해야 한다. 한마디로 참사랑은 사랑에 압도되는 마음이 아니라 그

* M. 스캇 펙, 최미양 번역, 『아직도 가야 할 길』, 율리시스, 2011.02.25

런 느낌이 없어도 사랑하려는 의지만 있으면 사랑할 수 있다.” 물론 사랑하는 느낌, 즉 감정이 있다면 더욱 쉽고 좋을 것이다.

“어떤 행동을 하면서 노력이나 용기가 가미되지 않는다면, 그것은 사랑의 행동이 아니다.

사랑할 때 가장 먼저 할 일은 상대에게 관심을 기울이는 일이다. 관심을 두면 그 사람을 돌보게 된다.

결혼은 완성이 아니라 사랑하는 두 사람이 끊임없는 대화와 노력을 통해 가꾸어 나가는 새로운 시작이고 독립된 개체로서 각각의 역할을 수행하는 것이다.”

일단 결혼을 했으면, 사랑해서 노력하는 게 아니라, 사랑하기 위해 노력해야 한다.

우리는 보통 사랑해서 결혼한다. 하지만 부부는 분리된 개체라는 점을 깨달아야만 삶이 여유롭고 풍요로워진다. 서로의 개별성을 존중함으로써 개인만이 도달할 수 있는 영적 성장의 여행을 추구할 수 있다. 개인의 여행을 지지하기 위해 존재한다고 보면 된다.

마고는 프리랜서 작가이고 루는 치킨 요리사다. 이러한 점에서 부부는 대부분의 시간을 집에서 같이 보낸다. 그래서일까, 마고의 외출은 일탈이었다.

칼리 지브란, 〈아직도 가야 할 길〉 중에서 이렇게 말했다.

그러나 당신 부부 사이에 빈 공간을 만들어서,
그대들 사이에서 하늘의 바람이 춤추게 하라.

서로 사랑하라, 그러나 서로 구속하지는 마라.
오히려 당신들 영혼의 해변 사이에 출렁이는 바다를 두어라.
각각의 잔을 채워라, 그러나 한 잔으로 마시지는 마라.
각자의 빵을 주어라, 그러나 같은 덩어리의 빵은 먹지 마라.
함께 노래하고 춤추며 즐거워하라, 그러나 각자 홀로 있어라.
현악기의 줄들이 같은 음악을 울릴지라도 서로 떨어져 홀로 있듯이.

마음을 주어라. 그러나 상대방의 세계는 침범해 들어가지 마라.
생명의 손길만이 당신의 심장을 품을 수 있기 때문이다.
그리고 함께 서라, 그러나 너무 가까이 붙어서지는 마라.
사원의 기둥들은 떨어져 있어야 하며.
떡갈나무와 사이프러스 나무는
서로의 그늘 속에서는 자랄 수 없기 때문이다.

그리스의 철학자 디오게네스는 말했다. "사람을 대할 때는 불을 대하듯 하라. 다가갈 때는 차지 않을 정도로, 멀어질 때는 멀지 않을 만큼만"

둘 사이에 간격이 있다는 것은 얼마나 서로를 자유롭게 하고 행복하게 만드는지는 경험해보면 바로 알게 될 것이다.

누군가를 필요로 하고 기대고 싶어 하는 의존 욕구만큼이나 내 뜻대로 움직이고 싶은 독립 욕구가 동시 존재한다. 누구나 사랑받기를 원하지만, 그로 인해 남과 다른 나의 정체성이나 독립성이 침해당하는 것을 원치 않는 것이다.

사람에게는 침범당하고 싶지 않은 퍼스널 스페이스가 존재한다.

부부가 일심동체 즉 '하나'라는 말은 서로가 모든 것을 다 알아서 또는 항상 같은 마음으로 살아서 하나라는 말이 아니다. 모든 것을 다 알 수도 없고, 다 알 필요도 없고 타고난 기질과 살아온 환경이 다른 사람들이 만났기에 항상 같은 마음으로 살아갈 수도 없다.

진실한 관계는 결코 언제나 일치함을 말하거나, 언제나 한마음인 것을 의미하지도 않는다.

그런 관계는 꼭두각시 관계밖에 없다.

진실한 관계는 내 느낌이나 생각 그리고 주장을 있는 그대로 표현해도 상대로부터 배척받거나 버림받지 않는다는 믿음을 가진 것을 의미한다. 조금 불편한 상태가 온다고 해도 그것이 근본적인 사랑을 위협하지 않는다는 것을 서로 알기 때문이다. 자기의 마음을 있는 그대로 표현해도, 서로가 다르다는 것을 존중하며, 한 사람을 온전히 이해하는 것이다.

사랑에 빠지는 감정 자체는 피할 수 없다.

예를 들어 남자는 첫눈에 반한 여자에게, 여자는 멋있는 남자에게, 사랑이라는 감정에 압도되어 예기치 않은 사랑에 빠지게 된다. 하지만 우리는 그다음 행동을 취할 것인지 선택할 수 있다.

자신이 사랑하고자 선택한 상대에게 온 마음과 정성과 생각과 힘을 다해 사랑하고자 하는 의지를 쏟아야 한다. 그리고 개인의 삶도 존중해주어야 영적 성장으로 인한 아름답고도 성숙한 사랑을 이룰 수 있다.

그것이 진정한 부부의 사랑이 아닐까 생각한다.

## 혼자가 좋다

수민이는 연애를 쉬어본 적이 없다. 상대와 끝날 것 같은 감이 오면 얼른 다른 상대를 찾아 나서서 환승 연애를 시작하곤 했다. 단지 자기 옆에 아무도 없다는 외로움이 그녀가 기를 쓰고 상대를 찾아 나서는 동기이다.

외로움을 견디지 못한 나머지 좋아하는 마음이 없는 상대인데도 만나고 때로는 상대에게 너무 의지해 멀어지는 경우도 적지 않았다. 사실 외로움은 피하려고 하면 할수록 더 불안정한 상태로 약해지기 쉽고 바람직하지 않은 인간관계를 자초하는 경우가 적지 않다.

"인간의 불행은 고독할 줄 모르는 데서 온다. 외로움을 선택할 줄 아는 사람은 인간관계에서 강한 모습을 드러낸다. 다른 사람과 단절되는 것을 견디기 힘들어하는 느낌을 외로움이라고 한다면, 고독은 외로움을 선택하는 것이다. 즉, 혼자 있는 능력을 키우면 인간관계는 물론 인생에서 강해진다"라고 앤서니 스토는 『고독의 위로』에서 말했다.

영국의 시인 윌리엄 워즈워스는 '바쁘게 돌아가는 세상에서 우리 모두 좋은 본성과 너무도 오랫동안 떨어져 시들어가고, 일에 지치고, 쾌락에 진력이 났을 때, 고독은 얼마나 반갑고 고마운가.'라고 말했다.

혼자만의 시간을 나의 벗 삼아 즐길 줄 알아야 한다. 또한, 진정한 나를 만나기 위해서는 혼자인 것을 축복으로 여기고 감사해야 한다. 인간의 모든 불행은 그가 방안에 조용히 머물러 있을 줄 모른다는 사실에서 유래한다고 심리학자이자 수학가인 파스칼이 말했다. 외롭다고 아무나 만나지 말자. 외로워서 만나는 사람치고 좋은 인연을 본 적이 없다. 오히려 더 외롭고 불행해질 뿐이다. 세상에는 아무리 잘해줘도 떠날 사람은 떠나고 남을 사람은 남고 또한 고마워하지도 않는다. 누구든지 같이 있을수록 서로에게 피해를 주고 있다면 과감하게 끊어버리자. 굳이 잘 지내려고 애쓰지 말고 그냥 거리를 두자.

내가 다른 사람을 만났을 때 마음의 여유가 안 생기는 건 내가 힘들기 때문이다. 내가 행복하면 누가 옆에서 말이 안 되는 말을 해도 아무렇지 않게 웃어넘길 수가 있다. 마음의 여유가 없고 힘들 때 즉 외로움이 나를 찾아왔다는 것은 '내가 나 자신을 찾아온 거구나. 나를 좀 돌봐줘.'라는 신호임을 알고 혼자이기를 선택함으로써 자신의 행복을 충전하자. 홀로 있으면 스스로에 대해 깊이 관찰하는 시간을 갖게 되고 이는 자기 성장으로 이어진다.

18세기 영국의 역사가 에드워드 기반은 "대화는 서로를 이해하게 하지만, 천재를 만드는 것은 고독이다. 온전한 작품은 한 사람의 예술가가 혼자 하는 작업으로 탄생한다."라고 말했다.

요즘에는 혼밥-혼족이 많아서 홀로 지내는 사람이 많다. 혼자 여행도 가보고 혼자 운동도 하고 혼자 극장에도 가고 말이다. 20대 초반 젊은 시절에는 나에게 무례하게 대하는 사람들과도 어울려 지냈다. 하지만 세월이 흐르면서, 혼자 있는 시간이 길어질수록 나의 내면을 들여다볼 수 있었다. 내가 정말로 좋아하는 것, 내가 잘하는 것을 말이다. 그 시간에 나와 맞지도 않는 사람들과 어울려 놀았다면 절대로 이러한 사실을 발견하지 못했을 것이다.

다른 사람을 만나 의미 없는 이야기를 나누는 시간에 자기 내면을 들여다보고 가꾸면 미래의 삶에 행복을 가져다줄 수 있다. 다른 사람들과 있을 때 마음이 편안해지는 사람이 있다. 그래서 늘 가정, 친구, 사회에 소속되어 그들과 시간을 보내기를 원한다. 그러나 사람들을 만나는 일에만 매달리면 어떻게 될까? 그 자리에 없는 사람을 주인공으로 세워 얘기할 수도 있고 아픈 상처 얘기가 저절로 나오고 하찮은 사람으로 만들어 버리고 내 말도 그들이 다른 데에서 하는 것 아닌가 하는 두려움도 생긴다. 한마디로 더 불행해지고 피곤해지는 것 같다. 한참 놀때는 즐겁지만, 다음 날이 되면 기분이 개운치 않을 때도 많다. 차라리 혼자 조용한 환경에서 위로받는 편이 현명하다. 특히 상대를 무시하는 말을 서슴없이 해대는 것을 들을 때 언짢고 스트레스를 받는다. 그럴 시간에 그냥 나 혼자 집에서 책을 읽거나 영화를 보거나 아니면 동네 산책하는 것이 훨씬 좋다. 물론 젊은 시절에는 모여서 즐기며 여러 경험을 쌓아야 한다고 생각했다.

진정한 나를 만나기 위해서는 불필요한 인간관계를 정리하고 고독과 함께 자신에게 에너지를 쓰는 시간이 반드시 필요하다.

사람이 혼자 있을 때 비로소 자신과 함께할 시간을 얻고 타인과 함께하지 않을 자유를 얻는다. "불행의 상당수는 혼자 있을 수 없어서 생기는 일이다. 인간이 겪는 모든 고뇌는 교제에서 비롯되기 때문이다. 행복의 가장 중요한 요소인 마음의 평정이 사교 때문에 위험해진다"라고 독일의 철학자 쇼펜하우어는 말했다. 우리의 마음을 온전한 상태로 지키는 데 조금이라도 방해가 된다면 굳이 타인과 함께 시간을 보낼 필요가 있을까.

무엇보다 소중히 아끼고 사랑하는 자신을 위해 혼자 있는 시간을 많이 갖음으로써 고독을 즐길 줄 아는 나로 성장해 보는 건 어떨까.

## 나를 중요한 존재로 만드는 사람

우리 인간도 자신을 돋보이게 하는 배경이 있어야 빛날 수 있다. 자신을 알아주지 않는 관계는 되도록 멀리하는 것이 현명한 일이다. 매력적이고 호감을 주는 사람은 상대를 굉장히 중요하게 여겨주는 태도에서 알 수 있다.

누구나 자기 이야기를 하면서, 자신이 중요한 사람이 된 듯한 기분을 가지고 싶어 한다.

최고의 존중은 내 생각을 묻고 나의 대답에 귀를 기울여주는 것이다.

자신의 대답에 귀 기울여주는 한 사람만 있다면 삶은 희망적이다.

사람은 누군가 자신의 이야기를 물어 봐줄 때 행복감을 느낀다.

나를 살아있게 해주는 건 다름 아닌 대화다.

삶이 희망적이지 않은 사람에게 그의 생각을 진지하게 귀 기울여 들으면서 대화를 시도해본다면 자신이 존재한다는 느낌 즉 살아있다는 느낌을 받고 삶을 희망차게 살아간다.

밥 사주고 남의 얘기나 자기 자랑만 하면 소화가 안 된다.

자신을 비판하는 사람을 당신도 싫은데 다른 사람들은 그 사람을 좋아할까.

상대의 태도에 대해서 불평불만과 잘잘못만 가리며 훈계하는 사람을 좋아하는 사람은 아무도 없다.

즉 나쁜 남자가 왜 여자들한테 인기가 많을까를 생각해 볼 수 있다.

안 예뻐도 예쁘다고 칭찬해 주고 진심으로 상대 여성에게 매너 있게 행동하는 남자가 여성들에게 인기가 많다.

여자에게 사랑을 많이 안 받아 본 남자일수록 지적하며 비판을 잘 한다.

이 세상에 어떤 누가 지적하고 비판하는 사람을 좋아하겠는가. 그것도 가까운 사이면 '너의 이것이 불편했다, 고쳐주겠느냐'고 말할 수 있다. 오히려 그런 남자라면 확실한 성격이기에 미래를 생각해도 좋다. 그렇지 않은 경우는 상대 여자가 굉장한 불쾌함을 드러내는 건 당연한 결과다.

인기 없는 사람들이 자신만의 생각으로 상대를 나쁘게 판단하고 지적하며 비판한다. 예를 들어 몇 번 안 만나 본 사이에서 "이러면 안 된다. 저러면 부적절하다. 말이 많다. 성격이 이렇다 저렇다" 등 판단해서 상대를 기분 나쁘게 만든다.

매력적인 사람은 상대를 매력 있는 사람으로 대한다.

왜 여자들은 나쁜 남자에게 목을 매달고 사랑을 듬뿍 주는 걸까. 그 이유는 나쁜 남자들은 어떻게 해야 여자가 좋아하고 싫어할지 잘 안다.

남자라면 누구나 준수한 외모의 여성과 결혼하고 싶어하는 건 엄연한 사실이다. 그렇다면 그런 여성들은 어떤 남성을 원할까? 좋은 직업이라고 좋아할까? 재산이 많다고 좋아할까? 사실은 그렇지 않다. 제일 중요한 건 부드럽고 유연한 성격과 가치관을 지닌 남성을 좋아한다. 매사에 까탈스럽고 상대 여성에게 감격이 섞인 칭찬을 하지 않는다면 절대 좋아하지 않는다.

말 그대로 외모가 준수한 여성을 사귀려면 예쁘다는 칭찬을 많이

해야 하는 건 상식이다. 그리고 그녀가 좋아하는 것을 기분 좋게 같이 하는 거다. 즉 적극적인 호응이 없으면 힘들다.

연애를 많이 안 해본 남자일수록 자신감이 없기 때문에 눈에 쌍심지를 켠 하이에나처럼 단점부터 파악하려는 자세를 취함으로써 자신도 상대를 마음에 안 든다는 것을 어떤 방식으로라도 표현해서 먼저 채이지 않으려고 노력한다.

여자들은 세월이 가도 자기를 "예쁘다 예쁘다" 했던 남자가 생각나는 법이다.

만남에서 어떤 이유로든 상대를 지적하고 비판하는 행위를 하는 사람은 연애경험이 적고 인간관계도 부족한 사람이다. 만약 그렇지 않다면 성격이 나쁜 사람일 가능성이 크다. 인기도 없고 매력적인 사람이 아니기에 모두가 싫어한다.

매력적인 사람은 자신의 감정을 쉽게 표현하지 않고 끝까지 웃으면서 매너 있게 행동한다. 사랑을 많이 받아 본 남성들은 여성과 함께하는 시간을 여유롭게 즐기면서 상대의 장점을 파악하여 적절할 때 드높여 줌으로써 여자의 마음이 긍정적인 방향으로 흐르도록 리드할 줄을 안다.

나를 중요한 존재로 만드는 사람은 '나에게 기쁨과 즐거움을 주는가'를 생각하면 된다.

자신을 돋보이게 하는 배경이 있어야 빛날 수 있다. 자신을 알아주지 않는 관계는 될 수 있는 대로 멀리하는 게 현명한 일이다.

"어느 날 한 번쯤은 물어 봐줄래? 그때 내게 무슨 일이 있었는지."

라고 한다면 기다렸다는 듯이 아주 진지하게 열과 성을 다해 들어주고 질문도 하면서 계속, 또 들어 주자.

자신의 이야기를 마음껏 펼칠 수 있도록 자리를 깔아주자. 이때 주의할 건 이야기를 듣다가 궁금한 점은 물어보는 게 좋지만, 비판은 주의하자.

사람은 눈치와 센스가 필요하다. 사적인 이야기를 하는 데 사람들 불러 모아 이야기를 듣고자 한다면 그 누가 말하고 싶겠는가. 오히려 가시방석에 앉은 느낌이 들어 자리를 뜨고 싶을 거다. 이 또한 상대를 무시하는 자세다.

나를 중요한 존재로 만드는 사람은 나의 마음에 귀를 기울일 줄 아는 사람, 그래서 나의 이야기를 하고 싶게 하는 사람이다. 그리고 이야기를 정성스럽게 들으면서 적절한 질문으로 흥을 돋울 수 있는 사람이다.

자, 이제부터 온 마음과 정성과 생각과 힘을 다해 귀를 기울여보자.

## 외모에 대하여

평범한 외모의 예진이는 상위권 대학을 나와서 Y대 출신의 남자랑 20대 중반에 결혼하여 평범하게 사는 친구이다. 그녀는 항상 자기의 아들이 남편의 키 작고 못생긴 얼굴을 닮을까 봐 걱정했다. 그러면서도 외모는 그다지 중요하지 않다며 학벌이 좋아야 결혼을 잘한다고 생각하는 유일한 사람이었다. 성경이는 뛰어난 외모의 소유자인 지방대 출신으로 항상 자신감이 넘치는 친구이다. 또한, 만나는 남자친구들이 하나같이 경제력이 좋은 전문직 아니면 준재벌 정도 되는 누구나 부러워하는 사람들이었다. 본인도 설카(서울대, 카이스트) 출신 아니면 안 만난다는 주의였다.

드디어 성경이는 명문대 출신의 전문직과 결혼하니 예진이가 "네가 보통 예쁜 게 아니니까 결혼을 잘하는구나!" 했다. 결국, 우리 셋은 외모가 그 무엇보다 중요하다는 결론을 내렸다. 물론 여기서 말하는 외모는 그에 따른 품위를 포함한다. 예를 들면 자세와 걸음걸이. 목소리의 톤과 속도. 억양과 발음 그리고 제스처와 패션 감각에서도 나타난다.

성경이에게는 이런 일도 있었다. 집에서 입는 편한 셔츠와 바지를 입고 동네 미용실에 갔다. 짧은 단발로 하고 싶어서 갔는데 디자이너가 그러면 파마가 안 나온다고 길게 해야 한다고 해서 "그럼 할 수 없죠. 뭐."하고 마음에 들지도 않는 머리를 하고 왔는데 금세 풀렸다. 그래서 미용실에 다시 방문했다. 디자이너가 지난번과는 다르게 짜증 내면서 "제가 길게 하면 머리 안 나온다고 말씀드렸잖아요!"라고 말했다. 혹시 자기가 잘못 알아들은 건가 생각해 보았는데 자기는 짧은 머리해달라고 했던 게 분명했다. 디자이너는 결국 다른 디자이너 시켜서 머리를 끝냈다. 원래부터 하고 싶었던 짧은 머리에 파마까지 잘 마쳤다. 머리를 하고 나오는데 처음에 했던 디자이너가 인사가 아닌 화가 잔뜩 난 표정으로 고개만 까딱였다. 성경이는 본인이 파마를 두 번 하는 피해에도 불구하고, 팁까지 주고 나왔는데 디자이너의 태도 때문에 종일 불쾌했다고 한다. 그녀는 왜 그 디자이너가 자신을 무시했는지 고민해보았다. 곰곰이 생각해 본 결과 옷도 허름하게 입은데다가 엄마도 90도로 숙여 너무 굽신거리며 인사를 해서 무시한 모양이라고 했다. 물론 그 디자이너에게 문제가 있는 것은 맞지만 세상에 이런 일은 비일비재하다. 우리의 차림새와 행동은 삶에 큰 영향을 미친다.

*"외모와 그에 따른 품위를 지녀야 대우를 받는 세상이다.

우리가 꾸미고 연출하는 이유는 우리 안에 들어 있는 것을 세상에 알리기 위해서다.

삶의 질을 높이는 데 가장 의미 있는 투자다.

이 세상을 살아가면서 외모가 주는 여유로움의 가치는 상당히 크다."

유전적으로 타고난 사람들은 그야말로 엄청난 축복을 받은 것이지만 꼭 그렇지 않더라도 충분히 후천적으로 외모를 가꿀 수 있다. 눈에

---

* 도리스 메르틴.『아비투스』 다산초당 2020.08.03.

띄게 예쁘면 좋겠지만, 빛나는 피부와 윤기 나는 머릿결 그리고 탄탄한 몸으로도 충분히 외모가 주는 건강과 생활의 기쁨, 무엇보다 최고의 선물인 에너지를 펼칠 수 있다.

"우리가 동의를 하든 안하든 세상은 외모가 출중한 사람에게 상당히 유리하다"

"우리가 누구이고 어떻게 지내는 사람인지 알 수 있을 정도로 외모는 표현력이 뛰어나다."

예를 들어 포르쉐에서 내리는 남자가 옷을 허름하게 입은 데다가 얼굴과 머리가 단정하지 못하다면 보통 그 남자를 운전기사라고 생각할 것이다.반대로 외모가 좋은 사람이 값싼 승용차를 몬다고 하면 검소하게 산다고 칭찬받을 가능성이 크다.

"어떤 식으로든 잘 생겼고, 올바르게 행동하면 기회가 더 많이 온다." 거기에다 키까지 크다면 사회적인 면에서 더욱 인정받는 걸 우리는 흔히 보게 된다.

"이러한 관련성을 무시하고 비판하는 사람은 자신을 속이는 것이다."

'남자가 잘생겨서 어디다 써먹냐'고 하지만. 사실 잘생긴 얼굴 하나로 남들보다 훨씬 장가를 잘 가는 걸 주위에서 볼 수 있을 것이다.

"외모의 매력은 지위, 건강, 자신감, 성적 매력을 극대화하기 때문에 배우자 선택뿐만 아니라 직업적 성공과도 큰 관련이 있다."

괴테가 말했다. '아름다움은 크게 환영받는 손님이다.'

물론 예쁘기 때문에 받는 고충도 있다. 질투 시기하는 사람들 때문에 피곤할 테고 똑같이 실수를 해도 예쁜 사람들이 눈에 튀니까 실수가 쉽게 발각된다. 또 인기가 있지만 반대로 많은 관심이 오히려 힘들 수도 있다. "인간관계에서 첫인상이 주는 메시지는 상당히 오래 간다. 잘못된 것으로 드러나더라도 바꾸기가 상당히 어렵다.

'자기가 어떤 사람이다'라고 지위를 과시하지 않아도 외모만 보고도 판별할 수 있다."

〈광해, 왕이 된 남자〉를 봐도 알 수 있듯이 왕과 똑같은 외모를 가졌다는 이유만으로 천민이 궁에 끌려가 왕 노릇을 하게 된다. 왕의 흉내도 완벽하게 소화해 내는 그로 인해, 신하는 그가 왕을 떠날 때까지도 왕 대하듯 모신다.

사람들은 행동이 고상하고 품위 있으면 정신도 그럴 거라고 믿는다. 옷을 센스 입게 입은 사람은 일도 성격도 센스가 넘치는 매력의 소유자라고 믿는다.

상류층일수록 운동을 더 많이 하는 경향이 있는데 그들은 그냥 오래 살고 싶은 게 아니라 건강한 외모를 유지하며 오래 살기를 원한다.

요즘 인스타그램 같은 SNS를 보면 보정된 얼굴과 몸과 키에 상당 부분 노출되었다는 것을 알 수 있다. 남에게 보이기 위해 비현실적인 사진을 올리는 시간에 자신의 개성을 잘 드러낼 수 있도록 자신을 가꾸면 좋겠다는 생각이 든다.

외모도 건강하게 가꾸어 품위 있는 삶을 살자.

## 튀지 않아도 인기 있는 사람

누군가에게 과도하게 매달리지도, 과도하게 쿨하게 굴지도 않는 즉 조용해도 만만하게 보이지 않고 함부로 대할 수 없는 사람이 있다.

남들이 그 사람을 조금 부당하게 대우를 한다면 그것에 대해서 반동 작용이 나오기 때문에 함부로 하기가 어렵다. 그렇다고 해서 다가가기 어렵다는 것은 또 아니다. 나이스하게 대하면 상대는 더 나이스하게 해준다. 다가가기도 쉽고 친해지기도 쉽다. 자기의 기분에 따라서 오늘은 이 사람이랑 친하게 지냈다가 다음날 갑자기 냉정해지는 일도 없다. 한마디로 안정적인 사람이다. 이는 살아가는데, 특히 인간관계에 중요한 부분이다.

내가 누군가와 가까워지고 싶으면 내가 그 사람에게 줄 수 있는 게 있어야 한다. 그것은 매력 또는 호감이다. 사람들은 기분 좋게 해주는 면이 있어야지 그 사람과 친해지길 바란다. 맛있는 맛집을 알려준다든지, 함께 밥을 먹으면서 굉장히 재미있는 시간을 보냈다든지 그 사람과 만나면 유쾌한 일이 생기는 그런 사람들을 좋아하게 되어 있다.

성장 과정에서 사랑을 듬뿍 받으며 원하는 게 채워지고 산 사람들은 자연스럽게 이런 매력적인 특성을 가지게 된다. 이러한 성장 과정을 거치지 않은 사람들도 후천적으로 얼마든지 노력해서 발전할 수 있다. 사람들이 어떤 성향을 좋아하는지 다양한 만남을 통해서 배울 수 있다. 같이 있으면 재미가 있고 그래서 웃을 수 있는 매력적인 사람과 어울리는 것도 인기 있는 사람이 되는 데 도움이 된다.

외모가 훌륭한 사람은 이미 타고난 장점을 갖고 태어났기 때문에 가만히 있어도 사람들에게 주목받고 관심을 받는다. 하지만 어느 순간에 자기가 가진 매력을 잃는 순간이 올 수 있다. 사람들한테 질투 시기를 받기 때문이다. 결국에는 자신이 가지고 태어난 매력이 걸림돌이 될 수도 있다. 어릴 때부터 별다른 노력 없이도 항상 사람들 관심 속에 사랑을 받으며 살아왔기에 자만할 수 있다. 그런 사람이라면 다른 사람들의 질투시기를 잘 이겨낼 수 있는 인간적인 매력과 더 낮추고 더 베풀 수 있는 사람으로서 다른 사람들과 좋은 관계를 만드는 데 노력해야 한다.

설사 평범하게 태어났을지라도 천천히 자신의 내공을 쌓아서 내가 나로서 진짜 매력 있는 사람이 되게끔 오랜 시간 동안 단련시키면 타고난 매력의 사람보다 더 많은 사랑을 받을 수 있다.

자기의 잘난 면을 부각하면 사람들이 좋아할 것 같지만 사람들은 너무 잘나면 부담을 느끼거나 자기 옆에 있는 것을 싫어하는 경향이 있다. 내가 어떻게 해도 저 잘난 사람을 따라갈 수 없으니까 나중에는 평가절하한다. 그러므로 잘난 사람들은 항상 겸손해야 한다. 많은 걸 가졌으니 내가 어떻게 해도 사람들이 당연히 좋아하리라 생각하면 오산이다.

자신이 가진 것에 대해서 감사할 줄 알고 부족한 것에 대해서는 겸손할 줄 알고 또 그것을 채우기 위해 노력하는 모습과 그런 과정에서 느끼는 인간의 한계를 안다. 그래서 다른 사람에게 똑같이 연민을 가질 수 있고 내가 중요한 만큼 다른 사람도 중요하다는 걸 아는 데에서 인간다움의 매력을 느낄 수 있다. 그런 사람이 화려하게 돋보이는 매력은 없어도 끝까지 사람들에게 인기 있는 사람으로 남을 수 있다.

2장

# 누구에게나 꽃 피는 봄이 온다

## 겸손함의 미덕

예전에 같은 교회 다니는 여자에게 소개팅을 주선하려고 한 적이 있었다. 그녀의 어머니랑 대화 중에 우리 딸이 정년기인데 좋은 사람 만나야 할 텐데 걱정이에요. 우리 딸은 교회 다니는 남자를 너무나도 싫어해서요. 그 말에 문득 키도 크고 잘생긴 사람이 생각이 났다. 그 사람이 예쁜 사람 좋아한다는 얘기를 하면서 "예진이가 예쁘잖아요. 그 사람 경제력이 좋아요"라고 했더니 그녀의 어머니는 예쁘다는 말에 활짝 웃으면서 "우리 딸이 예쁘죠? 자기가 손만 뻗으면 남자들이 달려온다고 매일같이 말해요" 하시면서 딸에게 물어보고 연락을 주겠다고 했다. 그런데 다음날 하는 말이 "우리 딸이 그 남성분 교회에 오라고 하고 자기가 멀리서 보고 마음에 들면 만난다네요."라고 했다.

그 말에 너무 큰 충격을 받은 동시에 '내가 큰 실수를 했구나' 생각했다. 그 애를 예쁘다고 띄어주니 자신감이 생겨 심각한 공주병 환자가 되어 거만해진 것이다.

그 정도의 남자를 소개해 준다고 하면 고마워해야 할 입장이고 밖에서 둘이 정식으로 만남을 가져야 하는 게 정상인데 자기 분수를 모르고 교만이 하늘을 찌르는 수준까지 간 것이다. 어이없고 황당한 나머지 '누가 그런 만남을 가지려고 하겠어요?'라는 말이 목젖까지 도달했지만 꾹 참고 "한번 물어 볼께요"라는 말로 대신 하고 남성에게는 아예 말을 하지 않았다.

사실 공식적으로 예쁜 아이는 아니지만 여자답게 생겨서 예쁘다고 칭찬한 거였다. 소개시켜준다고 하면 생각해 주는 주선자에게 겸손하게 예의를 갖추는 것이 정상인데 만날지 안 만날지 테스트용으로, 다니지도 않는 교회를 누구보고 오라 가라 하는가. 그것도 자기가 멀리서 보고 마음에 들면 만날 거라니 정말 상식 이하의 사람이라고 생각했다. 결국 그 아이는 자기 수준에 맞는 남자랑 결혼했다. 외모에 대한 칭찬은 절대로 함부로 하는 게 아니란 걸 크게 깨달은 사건이었다.

누가 봐도 뛰어난 미모의 여자애한테 소개가 돌아갔다. 남자가 너무나도 바빠 계속 여자와의 만남을 미루게 되었는데 그 여자애가 나에게 와서 하는 말이 "아니, 만나서 싫으면 할 수 없지. 만난 것도 아닌데 왜 미루는 거에요?" 하는 말에 살며시 미소가 지어졌다.

누가 봐도 너무나도 예뻐서 절대로 남자가 싫어할 일이 없을 사람이지만 그런 겸손함이 참으로 그녀의 외모를 더욱 돋보이게 했다. 높은 사람이 낮은 자세로 내려와 섬기면 그 겸손이 그를 더 빛나게 해주고 존경이 따라온다.

겸손함은 인간관계에 있어 확실히 필요한 미덕이다. 겸손은 자신을 낮추는 것과는 확연히 다르다. 겸손은 자신을 마치 크리스마스 선물처럼 화려하게 꾸미지 않고, 끊임없이 스스로를 되돌아본다. 나의 잘난 면을 자랑하거나 드러내지 않는다. 자신을 낮추는 자세는, 자신의 가치를 부정하여 깎아내리는 것을 말한다. 남이 나에 대해서 '이렇다 저렇다' 판단 할 수 있게 인도하는 거다.

뛰어난 미모로 언제 어디서나 칭찬을 후하게 받는 여성분이 있었다. 어떤 중년 부인이 다가와서 그 여성분을 가리키며 "와 진짜 예쁘게 생겼다. 난 한 번도 본 적 없어. 우리 교회에 이렇게 예쁜 사람이 있었어?" 하며 휘둥그레진 눈으로 감탄을 금치 못하자, 주변 사람들이 이름을 대신 말해주면서 그 여성에게는 "거봐, 내가 좀 돌아다니라고 했잖아!"라고 말했다. 그분이 계속해서 "정말 예쁘다. 미스코리아 진이다!"라고 하니까 고개 숙이며 미소 짓고 있던 그녀는 고개를 저으며 "아니에요...."라고 말했다. 그 광경을 처음부터 죽 봐왔던 주책인 아주머니 한 분이 "한턱내라...."라고 하니 그제야 기분이 언짢은 표정으로 바뀌었다. 그 여성분은 매일 듣는 칭찬이라 익숙하지만 계속 칭찬해 주니 쑥스러워 어떤 말이라도 해야 할 것 같아서 아니라고 말한건데 아주머니가 껴서 한턱내라고 하니 기분이 나빴나 보다. 물론 어쩔 수 없는 상황이었겠지만 그 여성분은 겸손보다 자신을 낮추는 태도를 보였던 것이다.

요즘처럼 인성이 중요한 시대를 살고 있는 우리는 말 한마디도 신중하게 해야 한다. 상대가 칭찬했을 때 "제가 부족해서...."라든가 "아니에요, 그렇지 않습니다."란 표현 대신 살짝 미소를 지어 보이는 것도 품위 있게 반응하는 것이 될 수 있겠다.

사람은 누구나 자신이 하는 말에 의해서 판단 받게 된다.

## 지금, 여기 이 순간에 집중하자

삶은 우리에게 가장 필요한 것을 언제든지 줄 준비가 되어 있다. 지금 이 순간 그 자체로 이미 완벽한데 우리는 쓸데없이 과거와 미래를 왔다 갔다 하느라고 현재의 '지금 이 순간들'을 놓치는 실수를 저지르곤 한다.

하버드대 심리학자 대니얼 길버트는 '행복에 영향을 미치는 것은 배경이나 환경이 아니라 일상의 순간에 대한 집중도'라고 말했다

우리는 가끔 '지금 여기'에 평범한 것보다 특별한 것을 생각할 때가 더 많다. Now. Here. 지금 여기에 집중만 해도 행복에 가까이 갈 수 있는 지름길을 볼 수 있는 거다.

지금 여기라는 진실에 뿌리를 내리고, 필요할 때마다 이 자리에서 잠깐씩 과거나 미래로 다녀오면 된다. 그러면 지금 여기에서는 아무런 문제가 없다. 생각으로 미래를 계획하는 것은 좋다. 미래를 계획하고 설계하고 대비하는 것을 위해 생각을 잠깐씩 써먹는 것은 너무 좋고, 당연히 그렇게 해야 할 일이다. 그런데 우리는 주로 생각 속에서 살고, 과거나 미래에서 살아오다가 아주 잠깐씩만 지금 이 자리라는 진실 속으로 엄지발가락만 살짝 댔다가 간다. 또 과도하게 미래의 계획과 목표 달성에 집착하여 초조해하고, 원하는 대로 안 되면 어쩌나 걱정하며, 미래에 올 일에 대해 두려워한다. 그것은 미래라는 주인에게 내 진실 된 자리를 내주는 것이고, 생각에 휘둘리는 거다.

지금 여기에 굳건히 서 있게 되면, 미래의 결과가 두렵지 않다. 필

요에 따라 미래를 계획하기는 할지언정 그 결과가 어떻게 될지는 지금의 일이 아니기 때문이다. 지금 이 진실 된 자리에 서 있을 때는 언제나 아무 일이 없다. 언제나 지금 여기에, 아무 일 없는 여기에 서 있으면, 미래는 더 이상 문제가 되지 않는다. 지난 일을 후회하거나 다가올 미래를 걱정하며 시간을 낭비라는 것이 아니라 바로 지금 이 순간을 최대한으로 살자.

작은 것에서부터 큰 기쁨을 끌어내는 것, 그게 바로 행복의 참된 비결이고 그러려면 현재를 바로 살아야 한다. 지금, 이 순간은 다시는 오지 않는다. 지금이라는 진실 된 주인과 친해지자.

## 자존감

자존감이란 무엇일까? 자존감이란 자아존중감의 준말로 스스로를 가치 있고 사랑받아 마땅한 사람이라고 여기는 마음을 말한다. 이를 잘 나타내는 동화로, '여섯 살치고는 작아'라는 아주 재미난 동화가 있다. 등장하는 인물은 덩치가 크고 폭군인 러스티, 그리고 몸도 왜소하고 키도 작지만, 속이 꽉 찬 킬리. 이 두 친구의 학교생활을 재미있게 그려놓은 동화다. 우리 주위에 러스티와 같은 친구들은 정말 많다. 사회성이 충분히 발달하지 않은 유아들의 세계에서 러스티와 같은 아이가 주위에 한 명만 있어도 참 피곤해진다. 러스티는 키도 크고 힘도 세다. 유아들의 세계에서는 당연히 부러움을 사는 존재다. 하지만 러스티의 말과 행동은 좀 안타깝다. 자신이 가진 힘으로 친구들을 제압한다. 러스티에게는 질서와 규범이 통하지 않는다. 특히 작고 힘없는 킬리에게는 더욱 가혹하다. 모든 것이 제멋대로이다.

이에 반해 킬리의 말과 행동은 놀랍다. 자신의 감정을 조절할 줄 알고 약점을 약점으로 여기지 않는다. 키가 작고 힘이 없어서 괴롭힘을 당할 때도 주눅이 들거나 자신의 처지를 비관하지 않는다. 늘 자신을 위협하는 러스티와 맞설 때도 당당하고 비굴하지 않으며 오히려 그런 러스티를 품을 줄 아는 포용력도 가지고 있는 대인배이다. 그리고 "여섯 살 치고는 작아"라고 말하면서 자신의 약점 따위는 크게 신경쓰지 않는다. 하지만 자신의 장점이 무엇인지 정확히 알고 상황에 맞게 장점을 활용할 줄도 안다. 그리고 고조된 갈등이 해소가 되는 장면 중 아무도 자리를 내어주지 않아 앉을 자리가 없는 러스티에게 킬리가 자리를 내주는 놀라운 선택을 한다. “으이구, 난 이제 러스티에게 깔려 죽나 보다”라고 혼잣말을 하면서도 기꺼이 러스티에게 자리를 내준다. 이건 무엇을 뜻하는 것일까? 킬리는 자신이 작고 힘도 없는 아이지만 러스티보다 큰 사람이라는 것을 이미 알고 있었다는 뜻이다.

그것을 러스티도 알고 있기에 동화 곳곳에서 킬리가 어른스럽게 행동할 때마다 발끈했다. 킬리는 자존감이 높은 아이이기 때문에 이러한 킬리가 넓은 마음으로 자기를 품을 때마다 러스티는 고마워하기보다는 펄쩍펄쩍 뛰면서 자신의 분노감을 드러내며 열등감에 사로잡히는 아이이다. 그럼 두 아이의 이런 극명한 차이는 도대체 어디에서 비롯된 것일까? 그것이 바로 부모님의 양육 태도에 있다.

킬리는 위기 때마다 반복적으로 자기 자신에게 이런 말을 한다. “용감하고 똑똑하게, 마음은 넓게!” 이것은 킬리 가문의 가훈이자 부모님의 양육 철학이었을 것이다. 일이 있을 때마다 부모님은 킬리에게 “그렇게 하면 안 되지. 이렇게 해야지” 하고 정답을 알려주기보다는 킬리가 올바른 판단을 할 수 있게 “킬리야 용감하고 똑똑하게 마음은 넓게 가져야지. 그럼 어떻게 하면 좋을까?” 이렇게 킬리가 올바른 판단과 선택을 할 수 있게 잘 이끌어 주었을 것이다. 킬리는 위기의 상황에서도 주눅 들지 않는다. 오히려 당당하게 용기를 내서 할 말을 한다. 비록 자기를 괴롭힌 아이라 할지라도 그 친구에게 곁을 내주는 대범함도 있다.

반면 러스티는 세상을 힘의 원리로 살아간다. 자신보다 강한 사람 앞에서는 한없이 비굴해지고 자신보다 약한 사람 앞에서는 한없이 잔인해진다. 러스티의 부모님은 러스티가 무엇을 잘못했을 때 가르치기보다는 체벌을 먼저 가했을 것이다. 그리고 러스티에게 상황에 맞는 올바른 행동이나 말을 가르치는 일에 굉장히 인색했을 것이다. 킬리가 옆자리를 내줬을 때도 러스티는 고마운 마음을 "고마워. 무당벌레."라고 표현한다. 이 말이 킬리에게 정말 고맙다는 말로 들렸을까? 그냥 고맙다고 하면 될 것을 왜 상대를 자극하면서 말하는 것일까? 이는 러스티가 고마움을 전하는 올바른 방법에 대해 배운 일이 없기 때문이다. 만일 러스티가 킬리처럼 어릴 적부터 상대를 존중하고 또 진정성 있는 공감과 배려를 배웠다면, 러스티는 지금 모습보다 훨씬 매력적인 친구가 되었을 것이다.

자존감이 높은 사람은 무엇이 다를까? 우선 자신에게 친절하다. 실수했더라도 자기 자신을 비난하지 않고 스스로를 격려하고 같은 실수를 반복하지 않기 위한 방법을 생각하려 한다. 다른 사람으로부터 무시를 받을 때도 크게 신경 쓰지 않는다. '저 사람은 성격이 안 좋나 보다.' 또는 '모든 사람이 다 나를 좋아하는 건 아니지 하지만 나를 아끼고 사랑하는 사람은 더 많지.' '저 사람이 나를 무시하고 비난한다고 가치가 바뀌는 건 아니야.' 하며 스스로를 이해한다. 이렇게 스스로를 공감하고 격려하고 위로하면서 힘을 준다. 한마디로 자신을 친절하게 대하도록 배운 사람이라 자신의 가치를 더 단단히 한다. 자존감이 높은 사람의 태도는 다른 사람에게도 영향을 미친다. 내가 소중한 만큼 다른 사람도 소중하다고 여기기 때문에 늘 여유롭고 친절하다. 한마디로 내 마음을 긍정적으로 살피고 타인에 대해서도 관대하다. 힘든 시련이 닥쳐도 완전히 꺾이지는 않는 그런 안정감을 가진 것이 자존감이 높다고 말하고 싶다.

반면 자존심이 높은 사람들은 어떨까?

자신이 어디를 가도 높은 평가를 받아야 기분이 안정된다. 그래서 거짓말을 잘한다. 자신을 있는 그대로 비추면 초라해 보일까 봐 거짓말로 자신을 과대 포장하여 남들에게 인정받기를 원한다. 남들이 자신을 초라하게 보는 것을 절대로 용납할 수 없는 일이기에 처음부터 철저하게 대단한 사람인 양 행동한다. 남들보다 잘나고 더 멋진 사람이라고 여겨지고 싶은 우월과 열등의 감정이 있다. 그것이 부정당하는 상황이라면 얼마나 자존심이 상하겠는가? 그리고 자존심이 강한 사람은 자신에 대해 좋지 않은 평가에는 인정하지 않는다. 분노와 적대감만 쌓여가게 된다. 이런 사람이 주위에 한 명만 있어도 몹시 힘들어진다.

자아가 과잉된 사람들은 쓸데없는 자존심만 세다. 타인이 자기를 무시하지 못하게 할 수 있는 모든 수를 쓴다. 이렇듯 자존심은 자신의 상태나 남들의 평가에 의해 나 자신이 시시때때로 바뀌는 것을 말한다.

반면 자존감은 한마디로 자기 자신을 친절하게 돌보는 것이다. 예를 들어 굉장한 미인인 여자에게 '예쁘지는 않지만, 남들에 비해서는 예뻐'라고 가치를 깎아내리려고 무례하게 굴어도 '이상한 사람인가 보다' 하고 끝내지, 감정이 불타올라 상대한테 기분 나쁨을 표하지 않고 신경 안 쓴다. 그처럼 자기 자신에 대한 확신의 여유로움이 있기에 기분 나쁜 대우를 받아도 감정이 휘둘리지 않는다.

자존감을 높이는 방법 중에는 평소에 꼭 사고 싶었지만 망설이고 있었던 것을 구입하는 것도 도움이 된다. 혼자서 식사할 때도 정성 어린 식사를 준비하는 것이다. 예쁜 접시에 담아서 자신이 귀한 대접을 받을 자격이 충분한 사람이라는 것을 인지한다. 한마디로 이 집의 주인은 바로 '나' 이기에 나를 환대하는 거다. 내가 나를 환대해야 나도 다른 사람을 환대할 수 있다.

자존감을 높여야 하는 이유는 행복을 위해서다.

누구나 실패할 수 있다. 실패는 좋은 경험이다.

자존감이 높은 사람은 어떤 실패를 당한다 해도 이를 극복하고 이겨낼 수 있는 마음의 단단한 근육이 붙어 있다. 이런 노력 끝에 값진 성공을 이루게 되면 말할 수 없이 큰 성취감을 맛보게 된다. 그러면서 마음의 근육은 더욱 단단해진다.

자존감이 낮은 사람은 부정적인 감정을 쉽게 갖게 된다. 그들은 일의 결과를 중요하게 생각하기 때문에 실패가 가차 없이 좌절감으로 이어진다.

자신에게 칭찬하는 것도 자존감을 높여줄 수 있다. 아침에 일어나서 기지개를 켜고 물 한잔 마시고 독서를 한다는 하루 목표를 세우고 지켰다면 스스로를 칭찬하자. 잘했던 일에 대한 구체적인 사실을 스스로에게 말한다면 자존감이 향상되는 것을 더욱 잘 느낄 수 있다. 사람은 타인의 존중과 격려를 받으면 그 기대에 부응하는 쪽으로 변하려고 노력한다. 타인의 존중과 격려도 이만큼의 힘이 있는데, 매일 자신에 대한 존중과 격려의 메시지를 스스로 들려준다면 자신에 대한 인식과 생각이 놀랍도록 변화되어 높은 자존감으로 마음을 여유 있게 다스리고 안정된 삶을 살 수 있다.

이런 과정에서 자신의 품위를 인정하는 만족감을 얻게 되고 삶을 온전히 즐길 수 있게 된다. 이것을 내공이라고 표현할 수 있다. 내공이 쌓이면서 삶의 여유가 생기고 행복감을 경험할 수 있게 된다. 이것이 바로 자존감을 키워야 하는 이유이다.

## 언젠가는 다 잊어버린다는 위로

위로란?

따뜻한 말이나 행동으로 괴로움을 덜어 주거나 슬픔을 달래 주는 것을 말한다.

친구 지현이가 말했다

"왜 사는지 모르겠다고, 사는 게 고통이라고, 도대체 이렇게 아플 거면 왜 태어났는지 모르겠다고,"

나는 말했다. "요즘 많이 힘들구나,"하며 그녀의 어깨를 감싸 주었다.

지현이가 다음 해에 또 말했다.

"이렇게 괴롭고 슬프고 아프고 힘들 바에야 차라리 죽는 게 낫다고, 태어난 게 죄라고."

나는 말했다.

"원래 사는 건 힘들어" 하며 등을 토닥여 주었다.

아픔에는 기간이 없다. 작년에 힘든 일을 당하고 충분히 아파해서 새해에는 훌훌 털어버리고 새로운 마음으로 다시 시작할 수 있다면 얼마나 좋겠느냐만. 과거의 아픔은 현실로 남아 허우적댄다. 시간이 지나서 다 잊은 줄 알고 대화해 보면 상대는 놀라며 묻는다. "아직도 아파?" 하면서 아직 시간이 덜 돼서 그렇다고 시간이 지나면 다 잊어버린다며 '시간이 곧 약이다'라고 말한다. 아파보지 못한 사람은 이해하지 못한다. 일정 기간이 지났다고 잊을 수 있다면 모두가 아픔이 없겠지.

과연 시간이 약일까?

"시간이 지나면 다 해결될 거야"란 말은 전혀 와닿지도 않았고 진정으로 나를 위해서 한 말이라고 생각되지 않았다

아픈 기억들은 지금 생각해도 너무나 아프다. 단지 그때와 다른 내가 있고 상황이 있어 내 삶의 변화가 있기에 사고를 당한 때처럼 살고 있지 않을 뿐이지.

나를 성장시킨 건 이성적인 충고도 아니고 아픈 만큼 성장한다고 하는 그 사건. 사고들도 아니었다. 뻔한 위로도 아니었고 열심히 버텨온 시간도 아니었다. 오히려 아픈 만큼 트라우마로 인해 시달리게 된다.

아픈 만큼 성장한다는 건 뻔한 위로의 말일 뿐이다. 상처도 시간도 아닌, 변화하고자 하는 나 자신이었다.

나는 시간이 지나면 다 잊어버린다는 위로가 정말 싫다. 누구나 쉽게 할 수 있는 그런 뻔한 위로는 당사자에게 절대 위로가 되지 않는다. 내가 여기까지 올 수 있었던 것은 꾸역꾸역 억지로 죽기 아니면 살기로 견뎌내며 변화해 온 나 자신이었다.

상처는 정말로 아프다. 긴 시간 아파하는 건 정말 끔찍하다. "이 아픔이 나를 성장시켜 줄 거야." 생각하지 않았으면 좋겠다. 아픔이 지하 세계에서 허우적거리는 시간 대신에, 지상에서 성장하는 게 훨씬 이롭다.

모든 상처가 다 성장의 계기가 되는 것은 아니다. 아픔의 시간과 사

건이 자신을 성장시킨 게 아니라, 스스로 성장의 계기를 찾아 꾸역꾸역 변화해 왔을 자기 자신을 일으켜 세워준 것이다.

상처를 성장의 이유라 합리화하지도 않았으면 좋겠다.

사실 남의 위로는 큰 영향을 주지 않는다. 위로를 주고 싶은데 어떻게 해주어야 할지 모른다면 많이 아파할 상대의 마음을 쓰다듬어 주기만 하면 된다. 괜히 똑똑한 척 솔로몬 병에 걸려서 시간이 약이라는 걸 나중에는 알게 될 거라는 희망 고문은 하지 말자. 위로의 말 한마디로 변화될 수 있다면 얼마나 좋을까.

시간이 지나면서 죽기 아니면 살기로 성장하려는 나 자신이 있었기에 어느 정도는 잊힐 수 있고 어제 겪은 사건처럼 생생하지 않을 수는 있다. 나 자신의 근본적인 해결책은 지난날의 아픔에만 사로잡혀 사는 것이 아니라 아픔의 크기와 상관없이 나 스스로 극복하려고 한 발이라도 내딛는 것이다.

스스로 자신을 치유하는 방법에는 무엇이 있을까? 반려견이나 반려 식물을 키울 수도 있고 일기장에 자신의 상처를 글로 씀으로써 정신적인 치유가 될 수도 있다. 일기장에 남기는 게 싫다면 글로 풀어쓴 후 태워 버리는 것도 좋은 방법이다. 나 같은 경우는 자서전을 써서 가까운 몇 사람에게 준 적이 있다. 나에게 큰 상처를 준 사람에 대해, 여러 사람도 당하고 비난을 많이 했지만, 그 부분들은 일체 배제한 채 나 혼자 희생하자는 마음으로 나의 상처와 분노만 썼다. 또한 한때 나한테 잘해준 옛정을 생각해서 오히려 그 사람을 이해한다는 방향으로 좋게 쓴 기억이 있다. 그리고 나니 나에게 상처를 준 그 사람이 오히려 불쌍하고 안됐다는 생각이 들었다.

힘겨운 상황을 바꾸는 건 나 스스로부터 시작해야지 아무도 나의 힘든 상황을 명확히 이해할 수는 없다.

상대의 아픔을 알지 못한 채 하는 위로는 오히려 큰 상처가 된다. 상대의 감정을 느끼지 못한다면 따뜻한 말로 감싸 주기만 하는 게 좋을 것이다. 흔히 사람들은 기분 나쁜 일을 당하면 말하기 쉽게 "잊어버려. 너 자신을 위해서 잊어야지." 이렇게 말하곤 한다. 하지만 그게 잊어버리고 싶다고 잊혀질까? 말처럼 정말 쉽다면 얼마나 좋을까. 어떤 상황에 부딪혀 불쾌한 일이나 기분 나쁜 일을 당하면 그 일들을 망각하지 까지는 꽤 오랜 시일이 걸린다. 그럼에도 우리는 남의 일에는 무조건 '잊으라'라는 충고를 하고 또한 '언젠가는 다 잊어버린다'는 말을 한다. 그 위로는 상처를 치유하는 데 도움이 되지 않는다. 스스로 앞으로 나아가려고 하는 과정속에 싹이 터서 점점 자라 어느새 자기 성장에 꽃이 핀다.

## 바보 온달과 평강 공주

모든 사람이 나를 사랑해 줬으면 좋겠어요. 모든 사람으로부터 사랑받는 게 가능하다면 그 사람은 그 대가로 엄청난 희생을 치러야 할 것이다.

세상에는 더 많은 물건들이 쏟아져 나오고 지금 쓰고 있는 것들은 금방 낡은 것이 되고 만다. TV에서는 인형 같은 사람들이 출연해 그런 사람들이 되지 못하면 사랑받을 가치가 없는 것처럼 나온다. 우리에게는 이러이러한 것들을 갖추면 행복하고, 못 갖추면 불행하다는 지침서는 존재하지 않는다. 다만 나보다 더 즐거워 보이고 자신 있어 하는 사람들을 보면서 그렇게 해야만 행복할 거라는 착각을 만들어 줄 뿐이다.

삶이란 다른 사람을 흉내 내서는 절대 행복할 수 없다.

대한민국에는 예쁜 배우들이 많지만, 우리 남편은 "이미연"을 좋아한다. 왜냐하면 그녀는 성형수술을 안 한 순수 자연미인이기 때문이다. 성형으로 인하여 얼마든지 더 예쁘게 변할 수도 있고 사실 데뷔 때보다 수술로 인하여 더 부각 되는 연예인들도 종종 볼 수 있다. 하지만 자연 미인들은 그들만의 고집이 있다. 더 예쁜 사람이 있을 수는 있어도 자연미인 즉 진짜 미인 하면 떠오르는 배우임에는 틀림이 없다. 그래서 여자는 이미연과 남자는 현빈으로 예를 들어 본다. 자신이 이미연이 된다면 지금의 자신을 사랑하는 멋진 남자친구 또는 남편을 만날 수 있었을까. 여기서 현재 남친이나 남편이 자신이 만날 수 있는 최고의 남자라고 가정한다면 말이다. 남친이나 남편이 사랑하는 자신의 귀엽고 사랑스러운 표정과 행동들을 이미연이 할 수 있을까. 반대로 좋아하는 여자친구나 아내도 자신이 현빈이라면 거부감을 느껴서 안 좋아할 수 있고 지금처럼 사랑하는 사이로 발전할 수 없을 확률도 높다. 한마디로 그들은 만인의 연인이다. 우리는 TV에서 보이는 연출로만 그들을 안다. 실제로 만나면 우리가 생각하는 사람과는 완전히 100% 다른 사람이라는 거다.

어차피 만나는 인연은 단 한 사람이다. 동시에 여러 사람을 만나는 사람이 있다면 성격과 가치관에 문제가 커서 더군다나 그런 사람과 미래를 약속한다는 건 크나큰 위험이 따를 거다.

아무리 예쁘고 잘생기고 매력이 철철 넘치는 사람이라 해도 그것은 인기일 뿐이지 어차피 만나야 하는 인연은 단 한 명이라는 거다. 예뻐서 많은 남자가 따르는 사람도 결과적으로 피곤해할 뿐 오히려 하나의 길밖에 없어서 단 한 명의 남자만을 바라보고 사는 사람을 선호할 수 있다.

평범함은 어느 방향으로 갈까 고민하거나 실패하는 리스크가 따르지 않는다. 남자들한테 인기가 많은 여성은 둘 중의 하나를 잘못 선택했다가는 낭패 보는 것일뿐더러, 한 사람을 골라야 한다는 것조차 힘들어한다. 그게 인기가 많아서 좋다고 생각할 여유가 전혀 없다. 어차피 결과적으로 만나야 하는 인연은 단 하나일 뿐 여럿이 있으면 오히려 힘들 뿐이다.

짚신도 짝이 있다는 말이 있다.

항상 웃기만 하는 바보 온달도 항상 울기만 하는 평강 공주를 만나 아주 행복하게 잘 살았다. 평강 공주가 어릴 적부터 울보여서 임금님이 어떻게 하면 좋을지 몰라 자꾸 울면 바보 온달에게 시집 보낸다고 하니까 그제야 공주는 울음을 멈췄다. 그렇게 바보 온달 얘기만 하면 크게 울다가도 그쳤다. 15살에 배필을 정해야 하는데 평강 공주는 어릴 적부터 온달에게 시집보낸다는 말을 가슴속에 새겼기에 온달과 혼인한다고 찾아가 아내가 되어 둘이 행복하게 잘 살았다. 만약 온달이 바보가 아니었다면 임금님이 공주의 울음이 그치기 위해 온달에게 시집 보낸다고 말을 했을까.

자신이 키가 작고 뚱뚱하고 얼굴이 평범하다고 해도, 때로는 성격이 소심하고 여러 방면으로 내세울 게 없다고 해도, 바로 자신 같은 사람을 애타게 찾고 있는 사람이 있다. 자신을 그 어떤 사람보다도 가치 있고 소중하게 여기는 사람을 만나 누구보다 행복하게 살 수 있다. 바로 정확히 당신이란 사람을 찾고 있는 사람을 만날 수 있다.

우리는 모두 행복한 사랑을 누릴 자격이 있다. 그러니 슬퍼하지 말고 자기 자신을 먼저 사랑하는 연습을 하라고 말하고 싶다. 의도적으로 자기 자신을 배려하는 습관을 형성하자. 긍정적으로 자신을 드높이는 대접을 하자. 그러면 만족감이 형성된다. 만족감은 쉽게 무너지지 않을 자존감을 형성하고, 어느 정도 실패하더라도 나의 존재를 지켜줄 수 있다. 제일 먼저 할 일은 자신을 사랑하자. 자신을 사랑하는 만큼 자신을 소중하게 여기는 사람을 만나 행복한 인생을 살 수 있다.

이 세상 그 누구도 모두에게 사랑 받기는 힘들다. 또한 모두에게 사랑받을 필요도 없다.

자신을 사랑하면 발전하려고 한다. 그런 과정에서 사람들에게 가치를 인정받게 되고 사랑을 받게 된다. 타인도 존중하면서 자신을 소중히 여긴다면 바보 온달과 평강 공주처럼 천생연분을 만나는 일이 반드시 일어날 것이다.

3장

# 반짝이는 별들도 물러날 때가 있다

## 상처 없는 사람은 없다

정일교의 『나쁜 건 넌데 아픈 건 나야』

"희말라야 산맥 벼랑에 한 무리의 독수리들이 모여들었다.

날개시험에서 낙방한 독수리, 이성에게 버림받은 독수리, 힘센 독수리의 폭력에 상처 입은 독수리. 독수리들은 저마다 자신이 불행하다고 생각했다. 그리고 이렇게 불행하게 사느니 죽는 게 낫다는 데 의견을 모았다. 이 때 영웅 독수리가 이들 앞에 내려 왔다. '왜 자살을 하려 합니까?' '괴로워서요. 이렇게 사느니 차라리 죽는 게 낫습니다.' 이 말을 들은 영웅 독수리가 조용히 말했다. '저는 어떨 것 같나요? 상처 하나 없을 것 같습니까? 제 몸을 보십시오' 영웅독수리가 날개를 펼치자 여기저기 상처가 드러났다. '이건 날개시험 때 솔가지에 찢겨 생긴 것이고 이건 나보다 힘센 독수리의 발톱에 찍힌 자국입니다. 이 상처들은 겉으로 들어난 상처이고 마음의 상처는 헤아릴 수도 없습니다. 상처 없는 새는 이 세상에 나오자마자 죽은 새 밖에 없습니

다. 살아있는 새 중 상처 없는 새는 없습니다.'

어쩌면 우리가 받아왔던 많은 상처들은, 겪어왔던 많은 고통들은 우리가 살아있다는 증거, 더 나아가 열심히 살고 있다는 증거인지도 모르겠다. 살면서 겪게 되는 고통을 그저 괴로워하고 있을지, 기꺼이 받아들이고 성장의 기회로 삼고, 극복해 낼지, 선택은 우리 각자의 몫이다. 고통스러운 삶 속에서도 행복을 꽃피우는 지혜로운 자가 되자."라는 스토리다.

"세상사는 멀리서 보면 희극이지만 가까이서 보면 비극이다." 찰리 채플린이 말했다.

누구나 앞통수만 보지 뒷통수를 보지는 못한다.

남의 일은 원래 이해할 수 없는 거다.

우리는 흔히 '나라면 절대 안 그랬을 거야, 도무지 이해가 안 돼, 어떻게 그럴 수 있지?'라고 제 3자의 입장에서 반문하곤 한다. 자기 자신이 남들보다 특별하다고 생각하는 사람들이 있다. '난 특별하고 잘났으니까, 남들처럼 불행한 일을 겪을 리 없어.'라고 자신 있게 말한다.

그들은 태어날 때부터 불행한 일을 겪는 사람이 정해져 있다고 생각한다. 그렇게 생각하는 이에게 묻고 싶다.

"왜 당신에게는 그런 일이 안 일어날 거라고 생각합니까?"

누구나 상처를 받으며 산다. 어느 누구라 할지라도 예외가 있을 리 없다. 그러니 당신만 큰 상처로 괴롭고 아파한다고 생각하지 말자.

평탄하게 사는 것 같은 사람의 모습 뒷면에도 '아픔'이라는 그림자가 도사리고 있다는 사실을 알아야 한다.

잘생기고, 성격 좋고, 스펙 좋은 사람도 상처받을까 라는 궁금증을 가진 사람들이 있다. "그런 사람들도 상처받습니다." 상처받는 것은 약함의 의미가 아니다. 우리는 살아 숨 쉬는 인간이기에 누구나 상처를 받고 산다.

누가 상처받은 것을 얘기한다면 잘 경청해 주자.

남의 이야기 듣고 싶지 않다고 딱 잘라 말하는 이기적인 사람이 있다면 그 사람에게 묻고 싶다. 당신은 상처받은 이야기를 남에게 털어놓은 적 없냐고 말이다.

그 경청 해주는 사람이 경험으로 인해 성숙해진 사람이었으면 좋겠다.

다 지나간 후의 당신이 지금 여기 있다. 언젠가의 좋지 않은 일들을 이겨 낸 당신이 여기 있다. 결국 버텨 내어 지금의 당신이 되었다. 짙은 구름이 하늘을 뒤덮는 그 아픔의 순간들을 견뎌 내었기에 지금의 든든한 당신이 존재하는 거다.

내 마음과 머릿속에 잊을 수 없는 상처와 장면들이 남아있지만, 달라진 것은 그 장면과 상처가 더 이상 새로운 생활에 그 어떤 영향도 주지 않는다.

오늘도 과거의 께름직한 상처로부터 또 후회로부터 어지간히도 잘 견뎌 내었다. 지금의 당신이 되느라 얼만큼 힘들었을까. 이겨내느라 얼마나 죽을 힘을 썼을까.

다른 사람에게는 없는 나만의 스토리 즉 이 세상에 하나밖에 없는 '나'라는 작품으로 완성된다.

마음속 상처는 생각하지 않으려 하고, 잊어버리려고 할수록 점점 더 우리를 옥죈다.

우리는 가장 빨리 잊어버려야 할 일을 가장 오래 기억한다. 알 수 없는 먼 곳에서부터 서서히 짙게 밀려오는 괴로움같이 정말 기억하고 싶지 않은 것들은 뇌리에서 결코 사라지지 않는다. 고통스러운 과거는 또렷하게 기억나는데, 즐거웠던 과거는 좀처럼 떠오르지 않는다.

*"인간은 망각의 동물이다'라고 했던가. 이 말처럼 삶을 살면서 힘들고 괴로웠던 순간들이 있어도 시간이 지나면 기억 속에서 자연스럽게 잊히기도 한다. 하지만 모든 기억들이 우리의 기억 속에서 잊혀지는 것은 아니다. 잊고 싶지만 영원히 잊지 못하는 기억도 당연히 있다."

그래서 나는 '이것 또한 지나가리'라는 말을 별로 좋아하지 않는다. 나 또한 아무리 잊으려고 애를 써도 아니 애쓰지 않아도 기억 속에 뚜렷하게 남는 일들이 있다. 그 말도 안 되는 잘못된 선택으로 인생이 완전 송두리째 뒤바뀌었다. 상상할 수 없는 깊은 후회를 겪었기에 다시는 그런 실수를 하지 않겠다고 내자가추의 삶을 다짐한다. 그런 경험을 통해서 나 자신이 더욱 성장하고 탄탄해졌다고 말할 수는 없다. 모든 시련의 아픔이 다 성장이 되는 것은 아니다. 구역질이 나올 만큼

* 이민재 문화칼럼. 경북신문. 망각하고 싶지 않은 망각. 20230508.

처절하게 몸서리쳤던 기억이 아직도 생생할 때가 있다. 하지만 지금의 나는 내 삶에서 가장 행복함을 만끽하면서 살기에 그 아팠던 지난 과거로 인해 모든 것을 다 잃었다고 판단할 수는 없다.

사람들은 아픈 기억을 잊으려고 엄청 애를 쓰지만, 애를 쓰면 쓸수록 기억은 뇌리에 박혀 결코 떠나지 않는 법이다. 나의 상처를 인정하지 않고, "상처 따위는 잊어버리면 돼"라고 생각을 짓누르려고 하는 태도는 그렇게 하지도 못할뿐더러 바람직하지 못하다. 상처를 피하고 방어하면 절대로 치유되지 않는다. 어떠한 감정이든 그것을 느끼고 겪는 것 또한 '나'의 일부분으로 받아들일 때 긍정적으로 치유되기 시작한다. 그럴 때는 과거의 상처에서 오는 고통의 감정을 마음껏 표현하게 하자. 그리고 혼자서도 할 수 있는 일기라든지 명상을 해도 좋다. 또한 평소 배워보고 싶은 분야가 있었다면 그것에 집중함으로서 긍정적 에너지를 끌고 오는 것도 바람직한 방법이다.

상처는 누구나 받는다. 그러니 당신만이 큰 상처로 괴로워하고 아파한다고 생각하지 말자.

"난 특별한 사람이기에 남들이 겪는 불행한 일은 결코 일어나지 않는다, 나랑 상관 없는 일이다, 다 남의 일이야."라고 생각하는 사람들에게 말하고 싶다. "불행이란 어느 사람이나 환경, 조건에 상관없이 누구에게나 닥칠 수 있는 것이다"라고 말이다. 그러니 자만하기보다 남들 불행한 일 생겨 아파함에 몸서리칠 때 겸손히 상대를 안아주는 건 어떨까.

## 감정조절

살아가면서 "분노 조절 장애" 인 사람을 겪는다면 어떨까?

분노가 치밀어 오른다. 하지만 그런 사람들 앞에서는 이성적으로 대응하는 것이 무의미하다. 그럴 때는 그저 감정을 억누르고 '네 그렇군요' 하고 마무리 하는 것이 좋겠다.

열차가 지연되어 한참을 앉아서 기다리고 있었는데 옆자리에 몇 사람들이 모여 있었다. 그 무리에 속한 또 다른 사람이 인사를 하면서 오는 듯했는데 그중 한 명이 그 사람에게 막 소리를 질렀다. 거기에 있는 모든 사람이 일제히 그를 쳐다보며 인상을 쓰거나 멀찌감치 자리를 피했다. 들어 보니 네가 누구에게 전화 걸어 자기에 관해 못마땅한 것을 얘기했다는 내용이다. 본인한테 말하지 않고 왜 다른 사람에게 말했냐는 것이었다.

오자마자 폭탄을 맞은 그 사람은 아무 말 못 하고 있다가 정 안 되겠으니 미안하다고 하는 데도 계속 화를 내고 있었다. 그 동료들도 너무 못됐다는 생각이 들었다. 가만히 지켜만 보고 있다가 또 한 명은 화내는 사람의 말을 부추기고 있는 듯 들렸다.

그 얘기를 들으면서 생각했다. "저러니까 못마땅한 일이 생길 수밖에 없고, 그러니까 자기에게 말 안 한 거겠지!"라고 속으로 외쳤다. 저런 사람을 누가 상대하나, 봉변을 당하고 있는 사람에게 동정심이 느껴졌다. 저런 사람들은 살면서 자신이 얼마나 부끄러운 사람인가를 깨닫기나 할까.

감정조절을 잘 못 하는 사람은 주위 사람들에게 크게 영향을 끼친다.

쉽게 화내는 친구와 또 그럴 수도 있다고 생각하는 친구들과 어울릴 때는 세심하게 주의를 기울여야 한다. 분노를 일으키는 기분에 빠져들지 않고, 대처하는 통제력을 기르는 것이 중요하다. 그래야 감정을 조절하는 데 익숙해진다.

감정을 조절하려고 노력하는 사람들과 어울리면서 그들이 어떻게 문제를 대처하는지 눈여겨보고 자기 스스로의 통제력을 기르는 게 필요하다.

우울하거나 불안하게 만드는 부정적인 일들에 대한 생각에 잠기지 않고 그러한 생각을 빨리 변화시켜야 한다. 쉽지 않다는 건 알지만 "진지"하고 "이로운" 것들에 대한 생각으로 주의를 집중해 보면 좋을 것 같다.

꾸준히 오랫동안 노력을 기울이고 반복 연습해야 가능하다.

화를 낼 만한 정당한 이유가 있다면 어떻게 해야 할까?

우선 화를 내고 상대방을 증오하기 전에 그 사람과 대화를 통해서 자신의 마음을 잘 전달하여 문제를 해결하는 방향으로 나아가면 좋을 것이다.

우리의 일상은 뜻대로 되지 않는 것이 수두룩하며, 정도의 차이가 있을 뿐 대부분의 사람들은 늘 초조함 속에서 고민한다. 때론 초조함이 심해지면 화가 나 열이 오르고 분노가 치밀고 마음이 흔들리기 시작한다.

대부분의 사람은 사소한 일로 일일이 화내는 것은 어른답지 못하다고 생각해서 마음속에 꼭 가둬 두려 한다. 하지만 "화"라는 감정은 가둬 둔다고 해서 사라지지 않는다. 오히려 화병이 된다. 오죽하면 "화병"이란 단어가 한국어로 DSM(정신질환 진단 및 통계 편람)에 등재되었을까.

화가 나서 참지 못하고 폭발하게 되는 경우가 있는데, 감정의 폭발 후 후회는 해 봤자 소용없다. 이미 가족과 사랑하는 사람들 그리고 타인들에게 상처를 주었기 때문이다.

어느 날 문득 화가 나고 짜증이 난다면 '화가 나고 있구나, 짜증이 나고 있구나.' 이렇게 생각해 보고 종이에다 글로 그 감정들을 느끼는 그대로 써 보는 것도 좋은 방법이다.

기쁨이 영원하지 않듯이 화나 짜증도 영원하지 않고 순간적일 때가 많다. 그러므로 화가 나 있을 때는 "안녕하세요!"하고 밝고 활기찬 목소리를 내면, 그 목소리의 영향으로 기분도 밝아지고 화를 누를 수도 있어서 바람직하다.

긴장했을 때도 마찬가지다. 많은 사람 앞에서 프레젠테이션할 경우, 긴장이 심한 사람은 나이에 상관없이 몸이 굳어진다. 아무리 침착하자고 되뇌어도 효력이 없다.

이럴 때는 몸을 움직여 기분을 전환해 보자. 심호흡하거나 손을 쥐었다 풀었다 해준다. 전후좌우로 조금씩 걸어보는 등 몸을 움직이면

긴장감이 풀어진다. 무용수들도 무대에 나가기 전 퐁당퐁당 뛰어 보면 어느새 긴장이 풀린다.

작가알랭은 무대에 서는 것을 죽을 만큼 두려워하던 피아니스트가 연주를 시작하자마자 금세 태도를 고치는 것을 어떻게 설명해야 할까 하면서 "피아니스트는 저 손가락의 유연한 움직임으로 공포를 흔들어 쫓아버린다. 몸의 운동이 우리를 공포에서 해방한다"고 설명한다. 짓누르는 압박에서 해방되려면 역시 몸을 움직이는 것이 최고다. 초조함을 가라앉히려면 일어선다, 기지개를 켠다, 한 걸음 한 걸음 천천히 걸어본다, 목을 돌리고 어깨를 푼다. 등 가벼운 동작도 도움이 된다.

간혹 '쉽게 분노를 표현하는 사람'이 멋있다거나 하는 사람이 있다면, 말도 안 되게 철없는 사람이다. 목소리가 큰 사람이 힘이 강해 보여 따른다면 그건 힘이 센 것도 아닌 뉴스거리에 나오는 무분별한 사람에 불과하다. 나중에 크게 후회할 성숙하지 못한 행동이다. 이제 더 이상 자신의 분노를 마음대로 폭발하게 내버려 두는 어리석은 짓은 하지 말자.

## 우울증 터널을 통과하다

나는 심한 질병에 걸린 적이 있다. 바로 우울증이다. 그것도 그 유명한 코로나 시기에 아주 심각한 단계인 블랙이었다.

코로나로 인한 감정 변화 1단계는 우울한 감정을 나타내는 파란색, 즉 블루다. 사회적 거리 두기나 외출 자제, 마스크 상시 착용, 대외 활동 자제 또 언제 어디서 코로나에 감염될지 모르는 불안정한 현재 상황과 뉴스 등을 통해 얻는 정보에 과도한 집착 등이 우울한 감정이나 무기력으로 이어진다.

감정 변화 2단계는 블루보다 심각한 수준인 분노를 뜻하는 레드다. 블루의 상황을 지속적으로 겪다가 레드로 발전하게 되는데, 블루에서 느끼던 부정적인 감정 변화와 함께 경제적인 위기가 더해져 사소한 일에도 예민한 상태로 변하게 된다.

그다음으로는 내가 걸렸던 3단계 '코로나 블랙'이다. 블랙은 블루의 우울감, 레드의 분노를 넘어 그야말로 앞이 깜깜한 상태를 말한다. 삶에 큰 타격을 입어 좌절, 절망 등의 암담한 상황까지 느끼는 상태 즉 그것이 바로 우울증이다.

태어나서 난생처음 우울증이라는 것을 겪었다. 사실 우울증이 한창 진행되는 중에도 내가 우울증에 걸린 것조차도 모르고 있었다. 우울증을 혹독하게 앓아온 사람으로서 우울증에 대해 연구해 보고 싶은 마음이 들었다. 52kg이었던 체중이 43kg으로 줄었었다. 즉 9킬로가 줄어서 병원에서도 영양실조라는 진단을 받았었다. 그리고 지금으로

서는 도저히 이해가 안 되는데, 누구랑 얘기하고 싶었는지 싫은 사람에게도 연락을 시도해 헛소리하는 등 심각한 선택 장애가 있어 중요한 결정을 내리면 안 됐었다. 내가 우울증에 걸린 주된 원인은 어쩌면 '코로나 바이러스' 때문만은 아니었던 것 같다. 코로나 전에 큰 충격과 분노와 아픔을 겪고 있다가 얼마 후 코로나가 터졌다.

'바른 생활 어린이'라는 별명이 붙을 정도로 밤 10시 되면 잠이 들고 아침 7시면 기상을 하는 매우 규칙적인 리듬과 패턴으로 생활했었던 내가 어느 날부터 잠이 오지를 않았다.

감기에 걸려 병원에 가서 기침약을 타왔는데 잠이 너무나도 잘 왔다. 오랜만에 꿀잠을 자서 너무나도 행복한 나머지 의사한테 내 증상을 말했더니 수면제를 처방해 주었다.

약을 먹는 일주일은 내가 원할 때 잠을 청할 수 있어서 참으로 행복했다. 그리고 다음 주에는 약이 듣지를 않자, 의사가 정신과에 방문해 보라고 했다. 정신과에 가서 50대 중반으로 보이는 여의사에게 진찰받고 약을 타왔다. 경력이 많은 의사 선생님을 만난 것 같아 다행으로 여겼다. 약을 먹고 누워 있으면 나도 모르게 잠이 들고 피곤함 없는 상쾌한 아침을 맞이할 수 있어서 행복했다.

그런데 어느 날부터 내가 한 행동들이 기억나지를 않았다. 친한 언니랑 통화하면서 어제 한 이야기를 또 하고 있다는 것을 그 언니에게서 들었다. 처음에는 어제 통화했다는 자체를 부인했었는데 내가 말할 내용을 다 알고 있는 걸 보니 그 언니 말이 맞았다. 하루는 와인을 마시려고 꺼내려는 순간, 어머니가 어제 마셨는데 또 마시냐고 하셨다. 역시 부인했더니 와인을 꺼내 보여주시면서 이만큼 마셨다고, 안주로 연어 버터구이도 절반이나 먹었다고 보여주셨다. 정말 아무것도 생각나지 않았다.

내 침대 머리맡에 원목 화장대가 있었는데, 핸드폰 진동이 울리니 아주 소리가 커서 깜짝 놀라 기상했다. 아침 6시 카톡이 와서 보니 "어쩌고저쩌고하며 저는 결혼합니다"라는 내용이었다. 이름을 보니 옛날에 만났던 남자였다. 순간 깜짝 놀라 '이 사람이 왜 나에게 느닷없이 이런 톡을 보내지?' 했는데, 알고 보니 내가 전날 밤 그 사람에게 먼저 만나자는 톡을 보냈다. 너무나도 소스라치게 놀라서 빠르게 축하한다고 메시지를 보냈다. 더욱더 놀란 것은 내가 그날 밤 무려 4명에게 더 연락했던 것이었다. 그중 옛날에 처음 만나는 자리에서 외모가 너무 심각한 아저씨라 서둘러서 자리를 떴던 사람도 있었다. '앗 내가 무슨 짓을 한 거지? 내가 또 기억을 잃었구나!' 속으로 외치며 경악을 금치 못했다. 그들 모두에게 아무것도 전혀 생각이 안 나고 내가 한 행동이 아니라고 나는 모르는 일이라고 절실하게 말해주고 싶었다.

그중 내가 연락한 사람 중에는 의사도 있었다. 정중한 안부와 함께 놀라움을 표하시면서 자신을 기억해 주어 고맙다며 나의 말이 진심이라면 만나자고 했다. 그분들과 만남 중에 모든 일이 중단되어 삶이 너무 힘들다는 온갖 부정적인 얘기만 늘어놓으면서 창피한 줄 모르며 울기까지 했다. 그분들은 오랜만에 만나서 즐거운 분위기를 기대했을 텐데 너무나도 슬퍼하는 나를 의외로 진지하게 받아주면서 병원도 코로나로 인해 적지 않은 타격을 받았다고 내 말에 동조하셨다. 만남 후에도 걱정이 되는지 안부를 물어 확인하셨다. 그분들에게 미안한 마음이 있었지만 나는 제정신이 아니었다. 하지만 '세상에는 이렇게 좋으시고 정말로 착하신 분들도 많구나'라는 사실을 알게 되었던 사건이었다.

문제는 항상 취침 전 약을 먹고 일어난 사건들이었다. 그래서 집에서 가까운 병원으로 갔다. 40대 초반 정도의 젊은 남자 의사였다. 나의 모든 증상을 낱낱이 말했더니 복용했던 약을 다음 주에 갖고 오라고 하셔서 보여주었는데, 약을 보더니 놀라면서 말했다. "내가 이럴 줄 알았어! 이 약은 일주일 이상은 절대 복용하면 안 되는 아주 위험한 약이라 의사들도 금기시하는 약이에요!" 그 말을 듣고 충격받아서 그 여의사를 고소하면 안 되느냐고 했다. 일주일 이상 먹으면 안 되는 위험한 약을 1년이나 먹었다니 너무나도 황당했다. 게다가 그녀는 주의할 점과 부작용에 대해서도 전혀 설명한 적이 없었다. 그리고 복용하면서 잠이 안 온다고 했더니 그럼 한 포 더 먹으라고 해서 두 포를 먹고 취침한 적도 많았다. 젊은 의사는 엄청나게 놀란 표정으로 "한 포를 더 먹으라고요? 이 위험한 약을? 그 의사분은 의사 자격이 없는 사람이에요!" 하며 이해가 안 간다고 고함을 질렀다.

그 의사는 진지하게 내 말을 들어 주면서 상담을 해주었다. 전에 다니던 여의사는 상담한답 치고 매일 남자와 연예인 얘기만 주로 하는 등 흔히 여자들이 하는 수다를 친구처럼 부담 없이 많이 떨었다. 연세도 있으시고 얼굴에 주름도 한가득이라 의료 일에만 정진하시는 분이시구나 생각해서 믿고 의지했었는데 완전히 배신을 당했었다. 너무나도 속상했지만 지난 일이니 다 잊어버리고 앞으로 잘 살면 된다는 마음을 가졌다. 내가 힘들다는 얘기를 듣고 여기저기서 전화와 안부를 물었다. 역시 나는 울면서 통화를 했다. 그렇게 많은 사람들과 만남을 가지면서 눈물을 흘리면서 얘기할 때도 있었지만 열심히 수다를 떨어서 에너지가 넘쳐 흐르는 걸 보고 우울증인 거 다 사기였다고 하는 사람들도 많았다. 그렇게 어떻게든 살아 보겠다고 즐거운 사람인 양 행세하며 꾸역꾸역 시간이 흘렀다. 그 남자 의사는 언제까지 약을 먹을 수 없으니 서서히 줄여가다가 빨리 끊자고 하셨다.

약을 끊고 나니 역시나 잠이 오지 않아서 눈만 감고 밤을 지샜다. 아침에 일어나도 피곤한 상태로 하루 종일 제정신이 아닌 생활이었다. 잠이 드는 게 나의 최고의 소원일 만큼 절실히 원했다. 잠을 못 자니 몸도 여기저기 아파 병원에 가서 검진도 받았다.

그 후 한 달 정도 지나고 나니 잠을 몇 시간은 잘 수 있게 되었고, 몇 달 후부터는 완전히 회복하여 잠도 잘 자고 우울 증세도 없어졌다. 2년이 지난 지금의 나는 언제 그랬냐는 듯 너무나도 건강하고 행복하게 살고 있다.

사람들은 흔히 우울증이 나약하고 게을러서 생기는 거라고 생각한다. 하지만 어떤 특정한 사람만 걸리는 것이 아니라 누구든지 걸릴 수 있으며, 본인 자신의 의지로 고칠 수 없고 의료의 도움을 받으면서 주위 사람들도 끈기와 인내를 가지고 보살피며 협력하여 나가야 하는 매우 힘든 병이다.

자기 인식 부족, 사랑받지 못하는 존재에 대한 애통함, 지난날의 상처, 두려움, 외로움, 우유부단 등 다양한 얼굴로 찾아온다.

우울증은 개인마다 고통받는 사연이 다르고 또한 각각 다른 증세로 나타나는 지극히 개인적인 병이다.

연구 결과나 이론으로 판정할 수 있는 우울 증상이 있긴 하지만, 사람마다 증상과 정도의 차이가 다 다르기 때문에 각자의 치료 방법 또한 다 다를 수 있다는 사실이다.

우울증은 혼자 지하 100층에 살고 있는 것처럼 세상 모든 걸 부정적으로 받아들이고 외롭고 슬프다. 영원히 암흑 속에서 살면서 절대로 극복하지 못할 것 같지만 서서히 한 계단 한 계단 올라가려는 생각만 있다면 어느새 지상에 도달하여 '꿀밥'을 먹고 '꿀잠'을 자고 '꿀사랑'을 하는 자신을 발견할 것이다. 지금의 나처럼 말이다!

## 타인의 외모를 비판하는 사람

남의 외모를 지적하고 비판하는 사람이 있다. 도무지 이해할 수가 없다. 남의 얼굴이 어떻든, 몸이 어떻든. 무슨 상관이 있다는 말인가? 같은 동성끼리라서 괜찮다고? 친한 친구라서 하는 말이라고? 그건 본인 생각이고.... 당사자는 그렇게 생각하지 않는다.

이 세상에 어느 누가 자신의 타고난 외모를 비판받는 걸 좋아할 사람이 어디 있겠는가? 아무도 없다. 웬만하면 남한테 좋은 말만 하자. 좋은 말 할 게 없다면 아예 말을 하지 말자.

정 남의 안 좋은 점을 꼬집고 싶으면 혼자 속으로 실컷 하는 것이 좋겠다. 듣는 삼자도 무안하다.

왜 남의 외모를 비판할까? '내가 너를 위해 비싼 돈 주고 다이어트 한약까지 지어줬는데 왜 넌 아직도 뚱뚱하니?'라고 한다면 모를까. 그 뚱뚱한 사람을 위해 애쓴 사람으로서 그렇게 물어볼 수도 있다. 하지만 어떤 도움을 준 적도 없으면서 그렇게 태어난 외모를 가지고 왜 나쁘게 말할까? 그러는 본인은 외모가 좋아서 비판하는 것일까? 아니면 성격 자체가 못돼먹은 사람이라서일까? 남의 외모를 지적하고 안 좋게 말하는 사람들은 정말로 몰상식한 사람이다. 또 그런 사람들을 보면 대부분이 외모가 잘난 사람이 아니다.

자기 외모가 마음에 안 들어서 자존감이 바닥인 사람이 남의 외모에 집착하며 비판하는 일이 잦다. 자기와 똑같이 못생긴 사람이 지긋

지긋해서 옆에도 있고 싶지 않아 왕따시키는 일도 있다. 그런 사람은 또 예쁜 사람에게는 극 칭찬하며 어울리고 싶어 한다. 자기도 못생겼으면서 상대에게 예쁘지 않다고 비판하는 사람에게 말하고 싶다. '넌 성형외과에서 견적도 안 나올 만큼 심각해'라고 말이다. 자신이 상대에게 잘 나가는 성형외과 의사를 소개해 주었는데도 불구하고 넌 왜 아직도 그러냐고 묻는다면 이해할 수 있다.

외모가 좋은 사람일수록 타인의 외모에 대해 긍정적으로 생각한다. 그래서 외모와 상관없이 사람들과 잘 어울리고 잘 대해준다. 사람은 주로 자기가 갖고 있는 것을 상대에게 요구하지 않는다.

우리가 길거리나 레스토랑 등에서 눈에 튀게 예쁜 여자가 못생긴 남자와 데이트하는 장면을 쉽게 목격할 수 있다. 우리는 이런 생각을 하게 된다. '왜 많고 많은 남자 중에 저렇게 못생긴 남자와 사귈까? 저 남자가 돈이 많은 사람인가? 얼마나 잘해주면 만날까?' 도무지 이해가 안 가서 여러 궁금증을 자아낼 수밖에 없다. 본인이 이미 태어날 때부터 갖고 자란 것들에 대한 욕심이 없어서이다. 그래서 다른 면을 보는 거다. 성형 수술해서 후천적으로 예뻐진 사람들은 예쁘게 태어난 사람보다 외모를 더 보는 경향이 있다고 한다.

주위에 잘생긴 남자를 보아도 '잘생겼으니 당연히 같은 수준인 예쁜 여자랑 사귀겠지!' 하지만, 현실은 다르다. '왜 이런 여자랑 사귈까? 너무 아깝다.' 하고 크게 실망하게 되는 일이 많다. 물론 잘생긴 사람에게는 사람들이 거는 기대감이 있고 웬만큼 생기지 않는 이상은 비교되기 때문에 실망하는 것일 수도 있다. 그리고 이성을 사귀는 건 외모가 전부가 아니다. 상대의 성격과 가치관이 맞아야 가능한 일이다. 한 마디로 잘생긴 남자는 여자친구가 자기를 생각하는 예쁜 마음을 보고 사귀는 거다. 예쁜 마음이 외모도 예뻐 보이게 되는 건 당연한 사실이다.

물질로도 예를 들 수 있다. 뛰어난 능력을 갖춘 남자는 결코 상대 여자의 능력에는 관심이 없다. 능력이 있든 없든 자기에게 크게 보탬이 되지 않기 때문이다.

키가 작은 사람은 대부분 키가 큰 사람을 좋아한다. 키가 큰 남성도 키가 작은 여성을 좋아하는 경향이 있다. 키가 작은 남성도 마찬가지로 키가 큰 여성을 선호하는 경우가 많다. 키가 작아도 매력 있는 남자도 많다. 그래서 키가 큰 여성들은 키가 크든 작든 상관하지 않지만, 키가 작은 편에 속하는 남성들과 만날 확률이 높다.

교대 근처 카페에서 여대생들이 옆 테이블에 모여 수다를 떠는 걸 우연히 들었다. 그들의 주제는 길거리에서 '누가 제일 많이 헌팅을 당하게 될까?'라는 질문을 하는데 평범하게 생긴 애를 가리키며 누구는 당연히 많이 당할 것 같다고 하고, 거기 중에 가장 예쁜 애를 보고 "유진이는 헌팅 안 당할 것 같은데" 하면서 무례하게 계속 깎아내렸다. 나도 모르게 그 말에 솔깃하여 슬쩍 옆에 있는 학생들을 쳐다보게 되었는데 서로가 안 친한 듯 보이며 무례한 태도를 보이는 그 여학생이 가장 안 예뻤다. 헌팅을 안 당할 것 같다고 지목받은 여학생이 만약 못생긴 사람이었다면 어땠을까? 가슴에 큰 억하심정을 가지고 훗날 그 말한 사람을 잊지 못하고 살 수도 있겠다. 하지만 벼는 익을수록 고개를 숙인다고 했다. 벼가 고개를 숙일 수 있는 건 알맹이가 많으니까 무거워서 고개를 숙이는 거다. 그 예쁜 여자애는 반박하지 않고 표정 없이 가만히 있었다. 아마도 '헌팅을 못 당할 것 같은 사람은 너야'라고 반박했다면 상대가 상처받을 걸 알고 가만히 있었던 것 같다. 그만큼 강자가 약자에게 베풀 수 있는 아량이듯, 겸손도 어떤 의미에서는 낮아질 수준이 있는 사람이 발휘할 수 있는 것이다.

괜찮은 외모의 사람이 남의 외모에 대해 무시하는 장면을 거의 본 적이 없다. 보통 본인 외모 생각 못 하고 남의 외모 비판하는 사람들이 더 많다.

자신에게 큰 상처를 입혀서 보복하고 싶은 사람이 아니라면 되도록 타인의 좋은 점만 바라보고 좋은 점만 얘기하자. 어차피 남의 고치지 못할 외모를 비방해봤자 손해 보는 건 자신이다. 정말로 자신이 한 충고에 자극받아 변하길 원한다면 상처받지 않게 충분히 조언할 수 있다. 남이 선천적으로 갖고 태어난 외모에 대해서 지적하고 비판할 시간에 상대의 좋은 점을 찾아 격려해 줄 수 있는 품위 있는 사람이 되자.

## 항상 괜찮은 척하는 사람

자기의 마음을 드러냈을 때 부정적인 평가를 받을 수 있다는 불안 때문에 내 감정을 드러낸다는 건 내가 어떤 사람이라고 하는 것을 평가받는 한 상황을 만들어 내는 거다. 그런데 사회는 감정을 드러내는 것에 대해서 긍정적으로 받아들이기보다는 약간 부정적으로 평가하는 문화가 있다. 따라서 불편한 마음이 있어도 잘 이야기하지 않는다. 내가 '약한 사람이다'라고 평가를 받게 되면 사회생활을 하는 데 있어서 내가 중심에 있기보다는 자꾸 주변으로 밀려나는 그런 경험을 할 수도 있다. '약한 사람이다'라는 인상을 주지 않기 위해서 역시 나의 감정을 드러내지 않는 경우가 있을 수 있다. 또 반대의 경우를 생각해 볼 수 있다. '내가 강한 사람이다'라는 것을 표현하기 위해서 감정을 억제할 수 있다.

감정 표현이라고 하는 게 약간 불안정한 사람들, 어떻게 보면 심리적으로 약한 사람들이 보이는 특징이라고 생각하는 경향이 있다. '내가 약한 사람이다'라는 것을 보여줄 뿐만 아니라 내가 강자라고 하는 그런 어떤 이미지를 유지하는 데 부정적인 피드백을 받기 때문에 조직 내에서 지위가 높은 사람의 경우에는 강한 이미지를 유지하기 위해서 감정 표현을 절제하는 경우가 많다. 그리고 마음을 드러내지 않더라도 '알아서 나중에 누군가 나를 챙겨주겠지!' 생각하는 경우도 있는 것 같다. 심리적으로 타인에 의존하는 경향을 가지고 있는 사람들의 경우에 불편한 마음을 그 자리에서 얘기하지 못하고 지나갔다가 나중에 자기 마음을 챙겨주지 않으면 뒤에 가서 또 섭섭하다고 얘기하는 경우가 많다.

보통 자기가 감정 표현을 하는 경우는 안정감을 느낄 수 있는 환경이다. 즉 심리적으로 내가 안정하다고 느낄 때 자기표현을 할 수 있는 마음의 여유가 생긴다. 그런데 심리적으로 불안하다거나 편안하지 않다고 하면 자신을 노출하는 것 자체가 상당히 위험한 행동일 수 있다.

얼마나 개인의 감정과 마음들을 잘 돌봐주는 사회적인 환경이냐가 중요하다. 사회 자체가 개인의 마음을 배려하고 자신을 노출한다고 하는 것은 심리적인 위험에 내가 직면할 수 있다는 메시지를 갖게 된다. 그래서 사실 주변 환경하고 개인의 감정 및 마음을 표현하는 것은 관련이 있다. 이 감정 표현도 타고난 성향이 있을 수 있지만 사회생활을 하다 보면 경험이 쌓인다. 그 경험의 결과에 의해서 차이가 나타날 수 있겠다.

긍정적인 경험 즉 성공 경험이라든가 좋은 친구도 많고 하면 자기 감정 표현하는 게 훨씬 편할 수 있다. 반대로 내가 지금까지 사회생활을 해왔는데 결과도 그렇게 기대만큼 좋지 않았고 또 다른 사람과의 관계도 좋은 편이 아니라고 하면 자신감을 잃게 될 수 있다. 그럴 때는 나의 감정을 표현한다는 거 자체가 상당히 어려울 수 있다.

어떠한 사회적 경험을 해왔느냐에 따라 차이가 나타날 수 있다.

감정을 적절히 표현한다는 것은 내가 감정 표현 이후에 심리적으로 편안함을 얻을 수 있어야 하고 내 감정 표현을 받은 상대도 심리적인 안정감을 경험할 수 있어야 한다. 그러려면 나의 감정 표현이 상대방을 비난하거나 비판하는 형태가 돼서는 안 된다.

나의 마음 상태를 드러내고 내 이야기를 듣는 사람하고 감정의 공유를 할 수 있어야 한다.

그래야지 내 감정을 표현하고 난 다음에 불편함이 없고 그 이야기를 들은 상대방도 불편함을 갖지 않게 된다. 내가 이번 일을 통해서 무엇을 경험했고 그 경험의 아쉬움은 뭐고 나의 이야기를 그대로 전달을 해주면 상대방하고 공감할 수 있는 여지가 많이 만들어진다. '너 왜 이렇게 나를 화나게 만들어?' 하고 상대방을 비판하고 평가하는 방식으로 자기감정을 표출하면 자기의 마음도 불편하게 된다. 그 이야기를 들은 상대방의 마음은 더 상할 수밖에 없다.

감정을 잘 못 느끼는 사람도 있다. 사실은 느끼기는 하는데 잘 인식하지 못할 수도 있다.

이 경우 과거의 경험에 의해서 무감각 또는 무관심한 성향이 생겨날 수 있다.

자기의 경험이 좀 부정적인 경우가 많다. 마음의 상처를 많이 받다 보면 감정에 무뎌질 수밖에 없다. 왜냐면 나를 보호해야 하니까 일부러 외면하는 거다. 그래서 부정적인 경험을 많이 갖게 되면 억제하거나 무관심해지거나 자기 자신을 보호하려는 일종의 방어기제로 자신의 감정 이해를 외면하는 일들이 발생할 수 있다.

자기에 대한 긍정적 마음을 가질 필요가 있다. 자기 자신, 자기가 하는 일, 자기의 생활, 다른 사람하고의 관계에 대한 긍정적 마음이 부정적 마음보다 감정의 긍정적인 인식이나 또 부정적인 감정을 경험하더라도 그것을 긍정적으로 전환하는 데 중요한 자원이 될 수 있다. 우리는 긍정적인 경험들이나 결과들보다는 부정적인 결과나 경험에 더 많은 비중을 두고 생각하려는 경향이 있다. 내가 긍정적으로 어떤 현상을 바라볼 수 있음에도 불구하고 자꾸 비판적으로 바라보게 되면 그 비판적인 마음이 때로는 일을 개선하는 데 부정적인 결과를 초래할 수도 있다. 도움이 될 수도 있지만 때로는 그 일을 통해서 내가 가질 수 있는 성취감이나 이런 긍정적인 정서 경험 같은 게 있는데 그 정서적 경험을 막는 결과를 만들 수 있다. 그래서 긍정적으로 자기 자신을 바라보는 힘과 노력이 필요하다.

물론, 누구나 긍정적인 마음을 갖고 살고 싶다. '긍정적인 마음을 먹어야지' 한다고 긍정적으로 되는 것은 아니다. 그렇다면 어떻게 해야 내 불편한 마음을 긍정적으로 바라볼 수 있을까.

사실은 '긍정적인 마음만 바라봐라. 부정적인 마음은 외면하라.'라는 주문을 외운다고 그렇게 되지는 않는다.

긍정적으로 바라본다는 것은 내가 왜 부정적인 마음을 가졌는지 대해서 한 번 있는 그대로 놓고 볼 수 있는 용기가 있어야 한다. 지금 경험하고 있는 정서와 감정을 솔직하게 인정하는 것인데 그 인정이 쉽지 않다. 자꾸 부정적인 경험을 하게 되면 일종의 슬픔이나 좌절, 분노와 같은 부정적인 감정들이 많아지기 때문에 그걸 있는 그대로 자꾸 보게 되면 마음의 상처가 크다. 부정적인 감정 상태를 유지한다는 게 정말 내가 원하는 것인가. 내가 앞으로 일을 하는데 또 다른 사람의 관계 속에서 그런 부정적인 감정을 경험했다면 과연 그 사람하고 관계를 개선하는 데 있어서 도움이 될 것이냐를 생각하려고 노력해야 한다. 만약에 내가 지금 이 사람하고 관계를 포기하지 못하고 계속 유지하는 게 의미 있다고 생각한다면 나의 긍정적인 방식으로 전환할 수 있는 노력을 해야 한다. 그 노력을 한다는 것이 중요하다는 것을 자기가 인정하고 받아들일 수 있어야 한다. 그 노력으로 실제 중요한 일이나 사람들의 관계에서도 긍정적인 개선의 결과를 경험해야 한다. 그래서 작은 노력이나 단계적으로 나의 마음을 이해하고 긍정적으로 내가 이것을 생각했을 때 나오는 결과에 대해서 한번 예상해보고 실제 그것을 만들게 노력을 해보고 그래서 한두 번이라도 긍정적인 결과의 변화가 조금씩 누적돼서 자신의 감정을 조절할 힘이 될 수 있다. 그래서 작지만 인정하고 노력하고 실제 성공 경험을 해보고 하는 과정들을 갖는 게 필요하다.

가시가 박히면 아프다. 그 상처를 못 만지게 하고 피하려고만 하지 말고 상처를 인정하고 그 안에 있는 가시를 빼내야 하는 과정이 필요하다. 가시가 박혔는데 그냥 놔두면 염증이 생기고 곪아서 더 큰 위험이 발생할 수도 있다. 자기가 뽑을 수 있는 용기가 있으면 뽑고 어려우면 전문가한테 가서 치료받는 것도 좋은 방법이 될 수 있겠다.

내가 그렇게 마음을 표현했는데도 상대방이 또다시 내 마음에 상처를 주게 되는 경우도 분명히 있다. 그 경우는 우리가 좀 냉정하게 볼 필요가 있다. 그 상대와의 정말 의미 있는 관계였는지 내가 생각했던 상대의 모습이 정말 그 본연의 모습인지에 대해서 한번 냉정하게 생각을 해볼 필요가 있다.

나도 그런 일이 있었다. 사실은 내가 생각했던 상대가 아닌 경우가 많다. 그럴 때는 그 사람하고의 관계를 그만두는 것도 좋은 의사결정이다. 자기 자신이 정말 좋은 사람이라고 생각했는데 이런 한두 번의 일 가지고 사람과의 관계를 단절시킨다고, 나 자신의 문제가 있다는 생각은 할 필요가 없다.

'가만 봤더니 나를 도와주는 친구가 아니라 나를 이용하는 친구였다'라고 하는 것들이 확실하게 느껴진다면 그것도 과감하게 손절할 수 있어야 긍정적으로 자기 자신을 바라볼 수 있게 된다.

나 자신을 긍정적으로 바라보지 못하면 자기 감정을 긍정적으로 다스릴 수 있는 기반을 가질 수가 없다. 자신을 건강한 한 개인으로 성장시키기 위한 다양한 노력과 그 다음의 감정에 대해서 긍정적으로 경험할 수 있는 많은 것들을 우리가 일상생활 속에서 하려고 노력할 필요가 있다.

나는 그중 한 가지가 독서다. 책을 읽다 보면 삶의 모습들을 보게 된다. '이런저런 삶 속에서 사람들이 어떠한 경험을 하고 그 경험에 대한 의미를 어떻게 가지고 살아가는구나'라고 간접적으로 경험을 한다.

보통 내가 부정적인 마음의 상태를 갖게 되면 한 측면에서만 특히 부정적인 측면에서만 의미를 부여하는 경우가 있다. 자신의 삶을 좀 더 다양하게 볼 수 있는 인식의 폭을 가질 필요가 있다. 나는 개인적으로 그걸 독서라고 생각한다. 다른 사람과 나의 마음을 이해하고 사람들이 살아가는 모습에 대해서 다양하게 생각해 볼 수 있는 기회를 얻고 자기의 감정을 표현하는 건 상당히 중요하다. 노래방에 가서 노래를 부르는 것도 좋은 방법이다. 자신이 갖고 있는 뮤즈를 이용하는 것은 큰 도움이 된다.

예술을 하는 사람들은 자신이 몸담은 분야를 적극적으로 표출하는 방식도 될 수 있겠다. 무용 하는 사람들은 춤이나 움직임으로, 음악 하는 사람들은 악기를 연주하고 노래를 부르며, 미술 하는 사람들은 그림이나 만들기로 감정을 표현하여 승화시키면 좋겠다. 그런 삶의 경험을 많이 축적하게 되면 감정을 이해하고 다스리고 표현하는 데도 자신감이 생길 수 있다.

감정의 경험은 만남의 경험이라고 생각한다. 감정의 힘을 키우고 싶으면 사람들과 만나서 대화하다 보면 그 힘은 커진다. 내가 일할 때 부정적인 경험을 했더라도, 일과 관련된 얘기를 하지 않더라도, 일상에 대해서 공유할 수 있는 시간을 갖게 되면, 언제 없어졌는지 모르게 싹 사라지는 경험을 갖게 된다.

나와 공통의 경험을 공유할 수 있는 사람을 만나 대화를 많이 하면 할수록 이 감정을 다룰 수 있는 힘이 커진다는 걸 경험으로 배웠다.

좋은 관계를 만드는 게 우선이고 평상시에 신뢰할 수 있는 관계가 중요하다. 감정 표현을 잘 못 하는 친구를 도와줄 때는 자기 자신을 먼저 노출하게 되면 자신의 감정을 노출한 사람도 마음이 편해지고 또 듣는 사람도 '나만 불편한 게 아니었구나' 그러면 나도 상대도 감정을 드러낼 수 있는 마음의 여유가 생긴다.

예전에 나의 기분이 좋지 않을 때 친구가 기분을 풀어 주려 억지로 웃기려고 해서 더 기분이 안 좋아졌던 기억이 난다. '내가 진지하게 말하고 있는데 내가 말하는 걸 듣는 거야 마는 거야 어떻게 이 상황에서 웃을 수 있지?' 그 친구는 상황을 회피하려고만 했던 것 같다. 그 상황에 대해서 충분히 공감하는 자신의 진지한 마음을 먼저 표현해야 하는 것이다. 한마디로 머리로 하는 이성이 아니라 마음이 하는 감성, 감정이 중요한 거다.

개인의 삶에 있어서 행복을 만들고 또 자기 일에 대해서 성취감을 가져다주는 가장 중요한 삶의 원동력이 감정이다. 감정을 절대 외면하지 말고 그대로 수용하고 이해하고 긍정적으로 활용할 수 있는 마음가짐과 노력이 중요하다.

## 자존심만 센 사람

곱게 차려입은 수이는 차에서 내렸다. 너무나도 무섭고 황당해 분노를 참지 못하고 마음속으로 욕을 해댔다. "완전 개쓰레기, 정신병자" 목에 두른 스카프를 하나하나 풀어가며 손에 쥔 채 걸었다. 누군가에게 전화 왔는데 기분 나쁘게 받았다.

40대 초반인 인호와 30대 중반인 수이는 소개팅을 했다. 첫 만남으로 수이 동네인 안산에서 보기로 했다. 약속 시간 정각에 인호는 수이에게 네비로 '카페 이름'치고 달렸는데 알고 보니 인천지역의 이름이 같은 카페에 도착했다고, 다시 안산으로 간다는 문자를 보내왔다.

수이는 우둔한 인호에게 실망하면서 1시간을 기다렸다. 드디어 그가 도착해서 얘기를 나누었다. 인호는 여태까지 많은 사람을 만나봤는데 인연을 아직 못 찾았다고 말했다. 수이가 연애는 해보셨냐고 하니 그렇다고 답해서, 웃으면서 왜 헤어지셨냐고 물었다. 수이는 카페에 너무 오래 앉아 있던 탓인지 힘들었고, 인호와의 시간이 너무 지루해서 빨리 집에 가고 싶었다. 그래서 일어나자고 제안했다. 집으로 가면서 친구인 나에게 전화했다. 세상 살면서 이렇게 우둔한 사람 처음 본다면서 겨우 이런 사람 만나려고 잘 차려입고 허튼 시간 보내고 온 거에 대해서 속상함을 털어놓았다.

다음 날, 수이는 인호에게서 만나자는 뜻밖의 연락을 받았다. 인호의 재미있고 사교적인 말투에 놀라서 자신이 너무 첫 만남 때 선입견을 품었던 건가 해서 새로운 기분으로 만남에 응했다. 그러나 두 번째 만남 역시 썰렁한 분위기 가운데 인호가 말했다. "흥, 지난번에 연애 해본적 있냐고 물어서 웃겼어. 당연히 연애 해봤지, 왜 내가 연애를 안 해봤겠어, 저 여자들한테 프로포즈 많이 받아요!"

수이는 첫 만남에 썰렁하고 무슨 말이라도 해야 할 것 같아서 아무 생각 없이 물은 건데 왜 갑자기 그 얘기를 꺼내는지 영문을 몰라서 자존심 강하냐고 물으니 아주 세다고 답했다.

인호는, 우리가 어떤 사이가 될지는 아직 모르지만, 나중에 결혼하게 된다면 직업 없는 남자라고 할까 봐 미리 말해 두는 거라면서 사실 회사를 그만두었다고 했다. 하지만 임대업 해서 먹고 살 수는 있다고 강조했다.

수이는 놀랐지만, 내색을 안 하고 회사를 그만둔 이유를 물어보았다. 그랬더니 상사가 자기 능력 밖으로 많은 걸 원했다고 한다. "상사는 서류를 집어 던지면서 왜 이것밖에 못 하냐고 아무짝에도 쓸모가 없다고 직원들 앞에서 큰소리쳤어요. 전 바닥에 흩어진 서류 종이를 일일이 다 주워서 다시 가져다주었죠. 그렇게 갑질과 쓰레기 취급당하면서 1년을 다녔습니다." 자기는 조직 생활이 안 맞는다고 앞으로 어떤 회사도 들어가지 않을 수 있다고 말했다. 그 얘기를 듣고 '역시 우둔한 사람 맞구나. 얼마나 우둔하면 그런 대우를 받을까?' 생각했다고 한다.

다음 날, 인호가 지나가다가 들렀다며 수이를 집 앞으로 불러냈다. 수이는 깜짝 놀라며 내키지 않지만 나갔다.

그는 차에서 이야기를 좀 하자고 했다. 그런데 그가 따지듯이 말했다. 처음 만날 때 과거를 왜 물어보냐고 지적하며 비판하기 시작했다. '본인 과거 있잖아! 내가 수이씨 과거 물어봤어요? 근데 왜 내 과거 물어봐? 나도 안 물어보는데 왜 수이씨가 내 과거를 물어보느냐 말이에요!' 하며 엄청 기분 나쁘게 따졌다.

수이는 충격받아서 아무 말도 못 하고 있다가 과거까지 들먹이면서 공격해 오는 인호한테 더 이상 당할 수만은 없어서 한마디하고 차에서 내렸다고 한다.

나의 전화를 받고 그동안의 얘기를 죄다 해주었다.

수이에게 인호라는 사람의 이야기를 들을 때부터 그가 자존감이 바닥이라 쓸데없이 자존심만 부리겠다 싶었다. 그런 사람은 인간관계가 참 힘들고 곁에 그런 사람 있으면 진짜 피곤하다고 말해주고 싶었는데 어떻게 될지를 모르는 거라서 말을 아꼈었다.

본인이 회사에서도 바보 취급당해 자존감이 바닥인 상태에서 아무것도 아닌 일로 신경 쓰고 열 올라 결국에는 잘 알지도 못하는 이성에게 화를 낸 것이다. 그런 사람과 결혼하면 상대의 약점을 쥐고 싸울 때마다 공격해 올 비겁한 하이에나 같은 사람일 가능성이 크다.

사실, 쓸모없는 사람은 없다. 아무짝에도 쓸모없는 사람이 있다면 자신도 타인도 아직 그 '쓸모'라는 걸 발견해내지 못했기 때문이다.

누가 봐도 기분 나쁘게 말하는 사람이 있다.

지위가 높은 사람이라고 할지라도 자존감이 굉장히 낮은 사람은 내면에 갑이 아니다. 그런 사람일수록 부들부들 떨면서 '이게 나를 무시해?' 하고 갑질을 한다. 어찌 보면 인호의 상사도 과거에 을이었던 사람일 가능성이 있다. 알고 보면 그 사람은 절대 갑이 아니다. 그럴 때는 '저 사람이 참 속이 비어있는 사람이구나'라고 생각하면 된다.

'어릴 때 을의 경험으로 저 상사인 자리에서 나한테 갑질하는구나' 생각하고 저 사람이 나를 하찮은 사람으로 대했다고 해서 내가 구덩이로 들어갈 필요가 없다.

저 사람이 저렇게 얘기하는 거 보니까 '내가 진짜 쓰레기야'라고 전혀 느낄 필요가 없다.

저 사람이 을로 살아왔기에 오죽하면 나에게 '내가 어떤 사람인데?'라고 내세우려 하는지를 알면 도움이 된다.

자존감이 바닥인 사람에게 휘둘려서 '나는 역시 안돼'라는 생각은 버리고 나 자체가 의미 있는 존재라는 걸 스스로 만들어 가는 게 중요하다.

또한, 자신이 쓸데없이 '자존심만 센 사람'은 아닌가 생각해 볼 필요도 있다.

반대로 내면이 꽉 차 있는 사람 즉 내면의 자존감도 갑인 사람은 절대 갑질하지 않는다.

자존감이 높은 사람은 상대가 잘난 척을 해도 즐겁고 재미있어할 뿐 절대 기분 상하지도 않고 상대를 지적하지도 않는다. 한마디로 자존감이 높은 사람과 있으면 그 시간이 유쾌하다.

4장

# 보이지 않던 것들이 보이기 시작할 때

## 가난하든 부자든

교회에 처음 간 날이었다.

나는 교회지도자의 아내인 K와 교회에서 행해야 할 일들에 대해 일대일로 면담을 했다. 교회지도자 부인은 다르구나 생각할 정도로 참 품위 있고 고상하게 말했다. 나의 신상을 물어 보신 후 놀라운 반응으로 적극적으로 관심 갖고 갑자기 팔짱을 끼더니 나를 다른 사람들에게 데리고 다니며 칭찬을 늘어놓았다.

다음주 교회에 방문했다. 지도자 부부는 항상 신도들이 잘 보일 수 있도록 객석 앞 높은 층과 의자에 앉는다. 시작 전 회의 시간에 지도자님이 나와 발표를 했다.

"교회에서는 비즈니스에 관해서 일체 얘기하지 않아야 합니다. 교회는 오로지 주님을 순수하게 만나는 곳입니다."

지난주 나한테 크게 관심을 보이며 데리고 다니면서 나를 소개한 것을 다른 신도가 보고 교회에 전화해 지적한 것이다. 누가 봐도 나를 데리고 다닌 K를 보고 지적한 것임을 알 수가 있었다. 본인만 모르고 다 아는 사실인데 지도자 아내라는 사람이 규칙을 어기다니.

한 번은 이런 일도 있었다. 한 남자와 소개팅을 했는데 K 부부도 아는 사람이었다. 그는 하루 벌어 하루 사는 사람이었다. 그 사실을 소개시켜 주신 분도 몰랐었다. 암튼 나는 그 말에 크게 놀랐지만 IMF 시절 어려웠던 우리 집 사정을 이야기하며 동조해주었고 그 자리를 잘 마무리하고 집으로 돌아왔다. 그분과의 만남은 그것으로 끝이었다. 그런데 그 남자를 아는 K가 남편에게 나를 가리키며 한참을 귓속말로 속닥대더니 인상이 확 변했다. 나의 관해 귓속말로 한다는 것 자체도 기분이 좋지 않았다. 그 남성과 만남을 가졌다는 사실을 알고 '저 자매 별거 아니네.' 하고 생각했던 것 같다.

하루 벌어 하루 사는 사람을 무시하고, 그를 만났다는 이유로 나도 단박에 무시하는 모습이 도무지 이해가 가지 않았다. 먼발치에서 내가 크게 인사하는데 오던 걸음을 멈추고 못 볼 걸 봤다는 듯이 기분 나쁘게 고개를 푹 숙였다. 몇 번이고 웃으면서 큰소리로 인사했는데 고개를 재빨리 다른 데로 돌리며 반갑게 인사하는 나를 무시했다. 좌석에 앉을 때도 옆자리에 앉았더니 자리를 피했다. 기분이 몹시 나빴다. K가 참으로 어리석고 수준 낮게 보였다. 어떻게 하루아침에 저렇게 달라질 수 있을까.

그녀는 무슨 생각으로 신앙생활을 하고 있을까?

마치 고급차 타고 온 손님이 부자인 걸 알고 잘해주다가 알고 보니 가난한 사람이라는 걸 알고 무시하는 것과 같다. 교회 신도들이 하나님을 만나고 기도하러 오는 신성한 교회에서 그런 불쾌하기 짝이 없는 일이 벌어지다니 참으로 실망이 커서 이런 생각이 들었다.

교회지도자로서 목에 힘주며 위대한 척하고 싶은 걸까? 오죽하면 매일 교회에서 하나님에게서 기름 부음 받은 자 즉 지도자를 욕하지 말라고 권고할까. 하도 상처 주는 일을 잘하니까 그런 말이 생겨난 것인데.... 존경받고 싶다면 지위에 합당한 자질을 갖추고, 자신에게 맡겨진 일을 충실하게 해나가야 한다. 지도자를 욕하지 않고 오히려 존경만 하는 사람이 신앙 좋은 사람이라고 강요하는 사람은 본인이 그 자리를 차지할 자격이 없다는 사실을 드러내는 것이 아닌가....

나는 마음속으로 "몰라봬서 죄송합니다. 하마터면 품위 있는 사람인 줄 착각할 뻔했습니다."라고 외쳤다.

사람의 말투는 피상적으로는 바꿀 수 있어도 습관은 함부로 고쳐지기가 어렵다. 품위 있게 행동하면 그 사람의 능력이 돋보이고 자연스럽게 사람들의 존경을 받는다.

그 이후 교회에서 누군가 나한테 크게 관심 갖고 칭찬하면, 무례하지 않을 정도로 살며시 미소만 짓고 무표정으로 자리를 피하곤 했다. 당신이 나한테 특별대우를 해주어도 거기에 휘둘리지 않겠다는 다짐으로 행동했다. 마치 계급을 정하고 잘난 사람끼리 어울리며 놀고 그렇지 못한 사람들에게는 차별 대우하는 그들과 어울리고 싶지 않았다.

부름을 받으면 마치 신이라도 된 듯 거만해지는 게 사람 본성이기에 부름 받은 자는 많으나 신께 선택받은 자는 적다는 말이 있는 거다.

가난하든 부자든 못생기든 잘생기든 주께서 모든 사람을 똑같이 사랑하시는 것처럼 어떤 이웃이든지 똑같은 사랑으로 대해야 한다고 생각한다. 즉 그를 닮으려고 노력하는 모습을 보고 흔히들 신앙이 좋은 사람이라고 말한다.

"내가 진실로 너희에게 이르노니 너희가 여기 내 형제 중에 지극히 작은 자 하나에게 한 것이 곧 내게 한 것이니라" 마태복음 25:40

## '사과'라는 고백의 힘

주말에 남편과 L 백화점에 주차하고 올라가려고 엘리베이터를 기다리고 있었다. 한참 기다리다 드디어 도착해 문이 열리는 즉시 탔는데 한 걸음 내딛으려고 하자마자 양쪽 문이 "쾅" 하며 세게 닫혔다. 민소매를 입은 나는 몹시 놀라서 소리쳤다. 엘리베이터에 탄 사람들도 놀라서 쳐다보았다. 그 엘리베이터 문은 스르르 닫히는 게 아닌 힘이 아주 강력했다.

나는 문을 여닫는 버튼을 마음껏 눌러대는 어린 여자아이를 슬쩍 보면서 사람들이 많아서 얼른 탔다. 남편이 내 빨개진 팔을 보며 걱정되어서 괜찮냐고 물어보았는데 그쪽 부모들은 사과하지 않았다. 어린아이가 장난을 칠 수 있다고 생각했나 보다. 엘리베이터 안에 다들 조용히 있는데 꼬마가 아빠한테 뭐라고 물어보니 아빠는 아주 다정하게 아무 일 없었다는 듯 대답해 주었다. 그리고 그들이 내릴 때 살짝 보게 되었는데 초등학교 저학년이나 되어 보였다. 그들은 아주 여유롭게 대화를 나누면서 내리는 걸 보고 참 양심이 없는 사람들이라고 생각되었다.

가수 시카고가 부른 노래 중에 〈미안하다고 말하는 건 너무 어려워(Hard To Say I'm Sorry)〉가 있듯이 사과란 것이 때론 쑥스럽고 어려울 수 있다. 하지만 인간으로서 상대방에게 불편함을 주었다면 사과하는 게 도리다. 사과할 때는 애통한 마음이 있어야 받아들이는 상대도 흔쾌히 수긍할 수 있다.

같은 교회에 다니는 남순이는 영숙에게 자기가 피부샵 사업을 하고 있는데 동업하자고 제안했다. 그리고 일정금액을 제시하며 투자하라고 요구했다. 전업주부인 영숙은 사회생활을 하고 싶어 결혼반지까지 팔아가며 남순에게 주었다. 그런데 남순은 처음에 설명했던 일과는 달리 고객들을 데리고 와서 식사를 해야 한다고 갑자기 밥상을 차리라고 지시했다. 영숙은 한두 번 하다가 남순에게 아닌 것 같다며 얘기했는데 오히려 남에게 봉사하는 건 좋은 일이라며 종용했다. 그리고 더 기가 막힌 건, 간판 새로 한다고 했을 때 영숙이 해줄걸로 기대했다며 큰 소리쳤다. 영숙은 어이가 없어서 일을 그만두었다.

얼마 후 남순은 영숙에게 사과하려고 전화했는데 영숙은 받지 않았다. 다음 날 남순의 남편이 교회로 와서 "남을 용서하지 못하면 지옥에 갑니다."라고 간증을 했다. 어처구니없는 그들 부부의 이야기를 들으며 사람들은 하나같이 '참 상종 못 할 사람들이구나' 하고 혀를 찼다.

세월이 지나 남순은 영숙에게 전화해 뒤늦은 사과를 했다. 딸의 중요한 입시를 앞두고 기도하는데 과거에 잘못한 일이 생각나 하나님이 안 들어 주실까봐 연락한 것이라 한다. 이처럼 사과란 건 때가 있고 안 하는 것보다는 낫지만, 진심 어린 사과인지 자신을 위한 사과인지는 누가 봐도 알 수 있다.

"미안한데 하지만…." 이라든가 "미안하다고 했잖아"라는 말은 진심이 담겨 있지 않다. 과연 누구를 위한 사과일까? 그런 사과는 자기를 합리화하기 위한 수단이다. 미안하지 않으면서 사과하고 싶지 않으니 변명하려고 한다. 자기 합리적 사과는 당사자에겐 비논리적, 비합리적 밖에는 안 된다. 마지못해 하는 사과는 오히려 기분이 상해진다.

"내가 잘못한 게 있다면 사과할게." 이거는 사과가 아니다. 그런 사과는 당연히 기분이 더 나빠질 수밖에 없다. 어떤 형태로 사과할 때 가장 마음이 잘 전달될 수 있는가.

책임 인정이 필요하다. 미안하다고까지는 잘하는데 내 잘못이라고 안 할 때가 많다. 사람은 본능적으로 자기가 제일 중요하기 때문에 자기방어를 한다. 그래서 일차적으로 핑계가 떠오르는 건 본능이다. 사과 앞에서는 이런 본능을 억누르는 게 필요하다. 내 행동이나 판단이 잘못이었다 싶으면 솔직하게 인정하는 거다.

자신의 마음을 반추할 필요가 있다. 건강한 사과는 자신에게 포인트를 주는 게 아니라 상대에게 맞춰서 표현해야 한다. 그래야 관계를 회복할 수 있다. 상대의 아픈 곳에 마음을 두고 애통해하는 마음을 가져야 한다. '그때 내가 왜 그렇게 했는지 이해가 안 간다'. '나도 아프다.' '후회한다.'처럼 닫혀 있는 마음을 다시 열 수 있도록 상대의 속상한 마음에 공감하면서 사과를 하는 것이다. 잘잘못을 따지기 전에, 내가 먼저 잘못한 부분에 대해 진심으로 마음을 담아 사과한다면 그것만으로도 상대는 이미 우리의 이야기에 귀를 기울일 준비를 하게 된다. 이때 본격적으로 자초지종 이야기를 전달하는 거다.

마지막으로 변화된 행동을 약속한다. 다시는 그런 일을 하지 않겠다고 다짐한다. 내 행동으로 인해서 네가 마음이 상했거나 불리한 상황에 부닥쳤거나 물질적인 손해를 보았다면 이를 복구하겠다는 의지를 표현해야 한다. 한마디로 재발 방지를 약속하는 게 중요하다.

회복하는 일이 얼마나 중요한 의미인지를 이해할 수 있게 차근차근 풀어줘야 한다. 어떻게 하면 마음이 편해질 수 있을까 그렇게 될 수 있다면 모든 걸 다하겠다는 심정으로. 실수를 반복하지 않으려고 노력하는 모습에서 사람들은 상대방을 다시 포용하려는 너그러움을 보인다.

조직 심리학자 태사 배스포드의 연구에 따르면, 회사에서도 진정성 있는 사과를 하는 리더가 그렇지 않은 리더보다 더 좋은 성과를 낼 가능성이 크다는 연구 결과를 발표하였다. 리더가 사과를 할 때 부하들이 리더를 더 신뢰하고 자기 일에도 더 만족하고 조직의 일을 마치 자기 일처럼 여기면서 심리적인 애착을 갖게 된다고 한다.

자기가 그렇게 행동했는지 전혀 모를 수도 있다. 모르고 한 언행이 다른 사람에게는 큰 상처가 될 수 있다. 자기가 기억 안 난다고. 상대가 감성적이라서, 또는 서로 코드가 달라서 그런 거라며 너 혼자 오해한 거라고 합리화하는 태도는 보이지 말자.

자기가 생각하기에는 아무것도 아닐지라도 상대에게는 아주 큰 트라우마일 수 있다는 것을 명심하자. 화살은 반드시 돌아온다. 그래서 적을 두면 안 되는 이유이기도 하다.

인간관계에서는 진심이 중요하다. 얼마나 진솔하게 표현하는지에 따라 상대방이 '진심'을 느낄 수 있다. 소중한 사람에게 의도하지 않은 상처를 남기지 않았으면 좋겠다. 상대가 상처를 잘 받는 성격이라 판단하고 자신을 합리화하는 것은 바람직하지 못하다.

## 솔로몬병

Y라는 사람은 항상 남의 사생활에 관심이 많았다. 그래서 이것저것 물어보면서 안부를 묻는 일을 좋아했다. 하루는 소개팅 주선자와 싱글인 여성이 만남 후기를 얘기하고 있는 것을 옆에서 귀담아듣더니, 둘이 얘기 끝내고 각각 길을 가려는데 곧장 싱글 여성에게 다가가 어떤 남자를 소개받았냐고 신상에 대해 궁금해했다. 부담스러웠지만 너무 궁금해하는데 말 안 하면 무례할 것 같아 하는 수 없이 답해주고 앞으로 어떻게 될지 잘 모르겠다고 했다. 그는 대뜸 그런 종류의 남성에 관해 과거에도 만났으면서 왜 모르냐고, 자기가 많이 알고 있다는 듯 가르치기 시작하면서 여성이 한 행동에 대해 지적하며 비판했다고 한다. 전 남자친구와의 관계까지 들먹이며 말해서 상당히 기분 나빠 Y를 피하자고 마음먹었다고 한다. 그다음 주, 주선자와 여성이 심각한 얘기 끝내고 뒤돌자마자 Y가 기다렸다는 듯이 붙잡고 '끝났어?' 했다고 한다. 자기가 끝나길 바랐던 건지 상당히 기분이 나빠서 이번에는 진짜 손절했다고 한다. 이처럼 자신이 마치 심리학자라도 되는 양 참견하고 조언과 충고하려고 하고 교수라도 된 양 사람들을 가르치기를 좋아하는 사람이 있다. Y는 자기가 오지랖이 넓은 이유가 사람을 도와주려고 하기 때문이라고 하지만, 아무도 그런 Y의 행동을 좋아할 리 없다.

여기에서 도와준다는 것을 생각해 볼 수 있다. 사람들을 다 도와줄

만큼 자기가 해박한 지식과 삶의 경험과 든든한 지원이 있냐는 것이다. 자기가 모든 걸 다 갖춘 사람이라서 남을 도와주길 바란다면 거만한 거다. 아무리 많은 것을 알고 있는 사람이라도 세상에 모든 것을 알 수 없다. 한 분야에서 남을 가르치는 교사나 교수 같은 사람도 다른 분야에서는 학생이 되어야 할 때가 있다.

사람들은 자기가 먼저 언급하지 않는 이상 자신의 사생활을 남이랑 의논하고 싶지 않아 하는 게 정상이다. 청하지도 않았는데 도와주겠다고 나서는 Y의 방식은 누구라도 부정적으로 생각한다. 반갑지 않은 오지랖이다. 너무 과한 선 넘기다. 본인이 똑똑하고 현명하고 지혜롭다고 생각하는, 그래서 남들을 지적하고 가르치려고 하는 솔로몬 병에 걸린 Y를 고쳐주기 위해 오히려 주위 사람들이 힘을 모아야 할 것이다.

누군가를 위로하고 도와주려는 생각보다 상대가 원한다면 식사라도 함께 하며 경청해 주는 게 훨씬 낫다. 내가 어떤 말을 해줘야 저 사람에게 위로가 될까 그런 건 욕심일 뿐이다.

인간관계의 기본은 상호존중이다. 자만에 빠져 남에게 지식이나 가치관을 강요한다면 반감만 불러일으킨다. 앎에는 끝이 없다. 사람은 가르치고 싶어 하는 욕구가 있다. 가르치고 침범하고 참견하고 알려주고 싶어 하는 것 보다 상대방에 대해서 귀를 기울여주는 연습 즉 경청이 필요하다. 내 잣대가 아닌 상대방 세계에 들어가서 이야기를 온전히 들어 주는 것이 좋다.

대체로 타인을 지적하고 비판하는 걸 좋아하는 사람들은 자존감이 낮은 사람들이 많다. 남을 지적하고 깎아내려서 우월감을 느끼는 거다. 그래서 그 우월감으로 열등감을 채운다. 우월감과 열등감은 식구라서 항상 같이 산다. 열등감이 많은 사람들이 우월감도 많이 느낀다.

불필요한 지적을 자꾸 받게 된다면 자신에게 문제가 있는 게 아니라 지적하는 상대에게 있기에 무시해야 한다. 딱히 내가 물어본 적도 없고 중요하지도 않게 생각하는 걸 콕 집어서 지적하고 비난하는 사람을 조심하자. 남이 자기를 높은 자로 알아주기를 원하고 권위를 세우려고 노력하고 있다. 진정한 권위는 실력으로부터 나오는 것인데 그 사실을 모르고 윗사람과 아랫사람으로 나눠서 무시하고 가르치고 아랫사람은 복종해야 한다고 생각한다.

이렇다 저렇다 하는 건 평가다. 평가란 선생님이 학생을 평가하고, 회사의 상사가 아래 직원을 평가한다. 평가받는 사람보다 평가하는 사람이 지식적인 면이라든지 능력이나 업무 경력 면에서 다소 우월한 사람이 당연히 평가하게 되어 있다. 그런데 거꾸로 내가 상대방을 평가하면 그 순간에 우월감도 느낄 수 있다. 우월해서 평가하는 것도 있지만 평가해서 내가 우월해진다는 순간적인 착각을 들 수 있다. 타인을 평가하는 순간에는 내가 우월감을 한시적으로 느낄 수 있지만,

그 짧은 시간이 끝나고 내 현실 세계 즉 내 삶 속으로 들어 가면 열등감을 느낄 수밖에 없다. 앞서 말했듯 우월감과 열등감은 따로따로 가는 감정이 아니다. 열등감이 깊은 사람일수록 또 다른 데서 우월감을 찾는다.

남을 지적하는 사람을 측은지심으로 보면 된다. 왜냐하면 그 사람은 혼자서는 자존감을 채울 수가 없다. 남의 자존감을 훔쳐서라도 내 자존감을 세우고 싶어 하는 경향이 있는 사람이다. 그렇게 상대를 낮추고 자기를 높임으로써 순간적인 자존감을 높이는 거다. 자기 삶으로 들어갔을 때 더 열등감에 휩싸이게 되는 거라 건강한 자존감이 아니다. 실제로 못난 사람이 못난 자기를 타인의 흠 잡는 걸로 드러내는 거다.

상대가 나를 지적하는 말로 기분 나쁘게 가르치려 한다면 그 사람과의 관계가 나쁘게 될 수밖에 없다. 타인이 나에 대해 무작정 지적하는 네 가만히 듣고만 있을 순 없다. 상대가 나를 지적하면 화가 난다. 이럴 때 즉각적으로 화를 내는 경우가 있다. 그러면 본인 손해다. 그렇다고 해서 내 입장을 밝히지 않는다면 상대는 계속해서 자기 말이 맞다는 듯 공격해 온다. 그래서 잠자는 사자처럼 '어흥' 하며 나도 공격할 수 있다는 걸 인식시키는 게 중요하다. 상대가 일방적으로 지적한다면 자신도 반격해야 한다. 상대가 한 말을 그대로 똑같이 상대에게 해주는 것이다. 사람은 자기 말로 다른 사람에게 나쁘게 보이는 걸 싫어하기 때문에 달리는 차를 잠시 멈출 수가 있다. 다른 사람을 지적하고 비판하는 말은 하루아침에 생기지 않는다. 오래된 말습관에 의해서 툭툭 내뱉는 거다.

나에게 의미 없는 사람이 나를 지적하고 비판하며 가르치려고 해도 나를 휘두를 수는 없다. 그런 사람은 오히려 측은지심으로 바라보게 된다.

## 잃을 게 없는 사람

H라는 친구는 어린 아이나 어른이나 할 것 없이 모두에게 사랑받는 모범적인 인물이었다. 또한 선배 소개로 만난 그녀의 약혼자도 모두에게 칭송 받을 만큼 사회적으로 성공한 사람이었다. 그녀는 오랫동안 기다리고 준비해 온 그와의 결혼을 모두의 축하 속에서 발표했다.

결혼을 코 앞에 두고 있을 때였다. H와 선후배 사이로 알고 지내던 불치병 환자인 M이 갑자기 그녀에게 그동안 좋아했었다고 고백했다. 의사가 살날이 얼마 안 남았다고 했다면서 죽기 전에 만나는 게 소원이라고 했다.

H는 그런 M이 가여워 소원을 들어 주기로 하며 하루 이틀 만났다. 그런데 M은 점점 자기 죽는다며 통곡하고 울며 더 많은 것을 요구했고 집착과 협박까지 일삼았다. 급기야 M은 같이 찍은 사진을 학교 동기들에게 뿌리며 H가 자기를 잊기 위해 아무나하고 결혼하는 거라며 막말을 피뜨리기 시작했다. 결국 그 소문은 H의 약혼자한테까지 들어가서 H의 해명에도 불구하고 파혼하게 되었다. H는 오랫동안 기다리고 준비해 온 결혼도 못하고 파렴치한 누명에다 이미지까지 안 좋아져서 M에게 화를 내었다. 그런데 설상가상으로 M은 H가 혼담마저 취소하고 아픈 자기를 사랑했기에 결혼하려 했는데 병이 낫지 않으니까 욕까지 했다는 가짜 문자를 날렸다. 주변 사람들은 M의 말을 믿고 아픈 사람에게 욕을 하냐고 질타를 했다. H는 그런 황당한 일을 당했다는 것조차도 입에 담고 싶지 않았다. 사정도 모르는 사람들에

게 일일이 자초지종을 설명하는 것이 자존심이 상했기 때문이다. 그것은 모두에게 사랑받으며 살아왔던 그녀에게 견디기 힘든 시련이었던 거다.

원래 피해자는 억울해도 소문날까 봐 두려워 '쉬쉬' 한다. 반면에 가해자들은 그런 약점을 이용해 오히려 상대를 나쁜 사람으로 만들어 자기가 피해를 보았다고 죽는 소리친다.

H는 잃을 것 없는 M을 처음부터 만나주는 게 아니었다고 지난날을 크게 후회하며 하루하루를 눈물바다로 살다가 멀리 떠났다.

잃을 것 없는 사람은 어떤 사람일까? 그런 사람은 어차피 모든 것을 잃은 상태이기에 아무런 두려움조차도 없다. 그렇기에 그런 사람과 만날 때는 경계하는 것이 낫다. 그렇지 않으면 오랜 세월 쌓아 놓은 것을 한순간에 잃을 수 있다. 아무것도 아닌 것처럼 느껴지는 한두 번 만남의 시작이 그동안의 노력을 헛되게 만드는 법이다.

지푸라기라도 붙잡고 싶을 만큼 절박한 상태에 있는 사람은 무슨 일을 저지를지 모른다. 그런 사람에게 말려드는 것은 힘들게 쌓은 명성을 한순간에 날려버리는 일이다. 무모한 사람의 말에 주관을 잃지 말자. 무모한 사람은 같이 있는 사람까지도 망하게 하는 경우가 있다. 그의 어리석음으로 같이 있는 자도 망하게 된다는 사실이다. 상대가 가여워서든지, 반박할 수 없었든지 간에, 거절하지 못하고 그냥 끌려다니다가 망하는 경우를 주변에서 적지 않게 본다. 무모한 사람이 그럴듯하게 설득하려 든다고 해도 그냥 흘려보내고 무시하면 된다. 그게 아무리 가여운 사람이더라도 냉정할 필요가 있다. 운은 명확한 유통기한이 존재한다. 나쁜 기운을 가진 사람과 어울리다 보면 자신도 모르게 검은 얼룩이 서서히 자신을 뒤덮는다.

진실은 진실한 자에게만 투자해야 좋은 일로 결실 본다. 대부분의 피해는 진실 없는 사람에게 진실로 쏟아부은 대가로 받은 벌이다.

잃을 게 없는 사람을 확실히 분별하여 냉정하게 대처하는 것이 바람직하다. 자신의 소중한 얼굴에 검은 먹물이 튀어 어느새 몸 전체가 먹물로 뒤덮이는 끔찍한 사태가 오기 전에 말이다.

## "강약약강"하는 사람들

강한 사람 앞에서는 약한 사람이 되고 약한 사람 앞에서는 강한 사람이 되는 즉 "나르시시스트"와 "소시오패스" 같은 사람도 있음을 알아야 한다. 그들은 과도한 관심으로 상대의 마음을 사로잡으려고 한다.

*"어떤 사람은 내면에 무능감과 열등감이 가득차 있어서 그런 불쾌한 느낌에서 벗어나기 위해 겉으로 자신을 과대하게 포장한다. 인맥자랑 역시 본인의 가치를 상승한다는 점에서 많이 이용하고 있다. 그들은 상대방이 자신에게 넘어왔다고 느끼면 더 이상 예전처럼 애정공세를 하지 않는다. 오히려 상대를 비하하고 경멸하다가 버리고 떠난다. 또한 타인의 신뢰를 얻기 위해 진실한 모습을 보여 신뢰하게 만든다."

뉴스를 보면 주위 사람들이 다 선한 사람이라고 하는 데 악인으로 밝혀진 사람을 볼 수 있다. 그들은 착하고 성실한 사람 그리고 약한 사람들 앞에서는 잔인할 정도로 이기적인 사람으로 돌변한다. 그리고 자신보다 더 많은 부와 명예 그리고 권력을 가진 사람들을 보면서는 부러워하고 그러한 사람들과만 인맥을 맺으려고 한다. 그런 사람이 간과 쓸개를 빼줄 것 같아도 믿어서는 안 된다. 가랑비에 옷 젖듯이 피해를 받을 수 있기 때문이다.

---

* 장서우.『더는 나를 증명하지 않기로 했다』. 청림출판. 2023.10.19

그들은 상대가 자신보다 더 성장하는 것을 매우 싫어하여 항상 부정적인 얘기만 늘어놓는다

"거봐 너랑은 안 맞는 거야" 같은 말을 함부로 내뱉어서 상대를 무기력하게 만든다.

인간은 사회적 동물이기에 어느 정도는 강한 사람 앞에서는 어리고 순한 양이 되고, 약한 사람 앞에서는 한없이 강한 척하는 본성이 존재할 수는 있다. 소시오패스 사람들은 이러한 기질이 심한 사람이다. 그들은 아주 친절하고 좋은 사람의 얼굴을 하고 있어 평판도 좋을 수 있다. 그러나 공감 능력도 없고 고맙다와 미안하다는 말을 안 해서 억울한 일에 대해서 항의하면 굉장히 불쌍한 척해서 그만두게 만든다.

착하고 성실하고 거절 못 하는 사람 즉 만만한 사람을 골라서 자기 힘을 과시하며 괴롭힌다. 이러한 사람들이 무례한 언행을 했을 때 바로 맞받아쳐서 강하게 대처해야 한다. "상대가 생각보다 만만한 사람이 아니네" 뼛속 깊이 느낄 수 있도록 해줘야 한다.

상대가 힘이 센 사람이라는 것을 안다면 그들 앞에서 어린아이와 같은 순한 양이 될 것이다. 애초에 휘말리지 않는 것이 가장 좋지만 이미 삶 속에 들어와 있다 하면 "안 됩니다"라고 단호하게 말한다. 그들이 자주 전화해도 가능한 한 받지 말고 거리감을 둔다. 그래도 소용없다면 원초적인 본능을 써서라도 공격성을 보여주어야 한다.

강한 사람은 자신의 힘을 내세울 목적으로 상대에게 상처 주지 않는다. 약한 사람과 동등한 입장에서 같이 화합할 줄 아는 사람이 진정한 강한 자이다.

## 인간관계에서 하지 말아야 할 것

첫째. 말 많은 사람이 되지 말자.

말을 많이 하게 되면 자연스레 실수를 하게 된다. '침묵은 금이다'라는 말이 교과서에서나 통용될 것 같은 말일지라도 우리 삶에서 꼭 명심해두어야 할 명언이다.

'나는 입이 무거운 사람이야'라고 하는 사람과 자주 만나 대화를 나누어 보면 그 말이 진실인지 거짓인지 알 수 있다. 단지 그런 사람으로 비추어지고 싶은 소망을 말하는 것에 불과하다. 가슴속에 묻고 하지 말아야지 생각했던 말도 얘기하면서 자기도 모르게 하게 되는 경우가 생긴다. 심심하지 않고 흥미로움을 줄 수 있지만 말이 많은 사람과 오랜 시간 이야기를 하다 보면 신뢰할 수 없는 사람이라는 것을 분명히 알 수 있다. 충분히 가까워졌다고 생각해서, 신뢰를 할 수 있을 것 같아서, 친한 사이라서, 편해서 한 행동 때문에 힘들어질 수 있다.

말을 적게 하는 습관을 길러 보자. 타인이 보기에 여유롭고 신비한 매력의 소유자라고 느껴질 것이다.

둘째. 친구를 돈벌이 수단으로 여기지 말자.

예린이는 새 직장에 취직했다. 큰돈 번다고 전 회사 사람들을 불러서 같이 일하자고 했다. 관심 없다고 하는 사람까지 도와달라고 사정하고 설득하여 끝내 같이 일하게 되었다. 하지만 예림이가 야단법석치며 많은 수요가 있다고 말한 것과는 달리 호응이 좋지 못해서 한 달

동안 수입이 교통비보다 못 나왔다. 그 일을 하기 위해 들인 시간과 체력을 낭비한 사람들이 모여 얘기를 했는데, 마치 자기가 상사인 양 다른 사람과 비교하며 누구누구는 잘하는데 당신만 못한다고, 대표한테 뭐라고 말하냐고 오히려 큰소리쳐서 기가 막혔다고 한다. 그래서 다 함께 그를 손절했다고 한다. 교통비라도 챙겨주면서 도와준 걸 감사하게 여기지는 못할망정 상스러운 행동까지 일삼은 것이다. 또한 일이 생각대로 안 되니 자기도 회사를 그만두었다고 한다.

이처럼 친구를 도구로 여긴다면 관계는 반드시 깨진다. 직업 정신이 투철해서라기보다 회사에서 교육받을 때 지인 영업을 부추겼을 수도 있다. 회사에서 인정받으려고 친구를 찾아가 힘들게 할 수도 있다. 얼마나 어려우면 친구가 싫어할 것을 알면서도 도와달라고 사정할까? 하지만 이런 상황은 오래 끌수록 자신만 힘들어진다. 직장에서의 생명은 얼마 가지 못한다. 그런 친구를 싫어하는 이유는 확실하지도 않은 일에 확실한 것처럼 부풀리며 말해 이용하려고 하는 생각 때문이다. 잠깐의 이익을 위해서 잘 아는 사람들을 이용하지 말자. 친구도 잃고 신뢰도 잃는 추한 사람이 된다.

셋째. 무엇이든 자랑은 하지 말자.

우리는 항상 겸손해야 한다. 나는 좋은 사람 만나서 결혼하는 데 친구는 결혼하고 싶은 마음은 굴뚝 같지만 그렇게 할 수 없는 상황이 있을 수도 있다. 그런 친구 앞에서 마냥 예비 배우자 자랑을 하면서 자기가 얼마나 사랑받고 있는지 늘어 놓는다면 친구의 기분이 어떨까?

자기가 초라해졌다고 느껴 바로 연락을 끊을 수도 있을 것이다. 기쁜 일이 있을 때는 나보다 상대를 생각하는 것이 좋다. 자랑을 하려면 내 앞에 사람이 있어야 가능한 일이다. 그 사람을 배려하는 것은 당연한 일이다.

이미지 관리 하려고 '나는 절대 안 그래'라고 하는 사람들이 있다면 속으로 찔릴 것이다. 자랑하는 사람 앞에서 같이 좋아해 주는 척하는 사람이 있다면 성격이 좋은 사람이다. 사실 그것도 못하고 상대 앞에서 깎는 사람도 아주 많다는 걸 기억한다면 말이다.

5장

# 오늘도 스윗드림

## 향기로운 말

오랜만에 누군가를 만나면 재미있는 사람으로 기억되고 싶어 하는 바람이 있다.

왜 재미있어야 하는가?

대화를 재미있는 방향으로 끌어 가려고 애쓰면 부담감이 있을 수 있다. 또 내가 상대를 향해 좋고 선한 의도였을지라도 상대가 어떻게 받아들이느냐가 중요하다. 그 상황에 딱 맞는 말이 상대가 가장 듣기 좋아하고 공감 가는 시간이 된다. 내가 주인공이 아닌 상대를 주인공으로 만드는 사람이 향기로운 사람이다.

상대의 말을 듣기보다 중간에 끊고 내 얘기를 한다든지, 아끼는 마음에 섣부른 조언을 하다가는 오히려 상처를 줄 수 있다. 괜한 오지랖 떨지 말고 이야기를 잘 경청해 주자. 상대에게 잘 보이려고 아는 척했다가는 오히려 상대가 가지고 있는 상처와 어떤 열등감이 충분히 건드려질 소지가 다분하다.

영주는 캐나다에서 근무하는 남친이 생겼다. 그 소식을 듣고 평소 아는 척하고 조언을 하고 싶어 안달이 난 오지랖 넓은 선배한테서 전화 왔다. 영주는 장거리 연애라 앞으로 어떻게 해야 할지 잘 모르겠다고 답했다. 그 선배는 대뜸 영주가 아주 오래전에 영국 유학생이랑 잠깐 사귀었다가 슬프게 결별한 사례를 언급하면서 '넌 잘 몰라서 또 어떻게 될지 모르겠다.' 그 말을 들은 순간 기분이 확 나빠져서 다시는 전화 받지 말아야겠다고 다짐했다.

상대방의 말을 들어주자.

정말 향기가 풍기는 사람은 상대를 주인공으로 만들어 주는 사람이다. 내 말을 주의 깊게 들으면서 눈을 마주 보고 고개를 끄덕이면서 적절한 반응을 하는 사람이다. 그러나 상대가 말할 때 그의 얘기를 온전히 듣는 경우는 사실 많지 않다. 들으면서도 딴생각을 하며 정확하게 집중 못하는 경우도 있다. 또한 그 말을 끝냈을 때 내가 어떤 말로 이어가야 할지를 미리 생각하는 경우가 있다. 상대의 이야기를 진지하게 들으면서 고개를 끄덕일 때 '아 저 사람이 나에게 공감하고 있구나. 내가 말을 잘하고 있구나' 하는 안도감이 느껴진다. 자신이 어떻게 말해줘야 할지는 끝까지 귀 기울여 듣고 나서 생각해도 늦지 않다는 것을 기억하며 경청하면 좋을 것이다.

귀인이란 표현을 많이 쓴다. 귀인은 한 번 보고 기분 좋은 사람이 아니다. 좋은 인연을 만들어 나갈 수 있는 가능성이 있는 사람을 말한다. '진짜 나에게 도움을 주려는 의도를 가지고 있구나'란 느낌이 들게 하는 사람이다.

대화라는 것이 그냥 그 순간에 나눴던 언어의 교환이라 말할 수 있겠다. 상대와 나눈 대화에 향기가 있는 사람으로 기억되고 싶다면 만남 후에도 흔적을 남겨야 할 것이다. 문자나 전화로 안부를 전하면 '상대가 나를 진짜 생각해 주는구나'라는 생각이 들게 된다.

서로 간에 진한 향기를 품은 말을 전하며 아름다운 인연을 이어가면 좋겠다.

## 독서가 주는 힘

사람은 매 순간 선택을 하며 살아간다.

하루에도 많게는 1,000개 적게는 300개 정도의 선택을 하고 살아간다고 한다. 몇 시에 일어날까, 조금 더 잘까 말까, 무엇을 먹을까, 무엇을 입을까, 버스 타고 갈까? 누구를 만날까, 무엇을 할까….

내가 선택한 것에 의해서 내 삶의 방향이 정해진다. 그러므로 선택을 잘해야 한다. 내가 선택한 대로 행동을 하고 그 행동들이 모여서 나의 역사가 이어진다.

좋은 선택을 할 수 있는 방법이 있을까?

독서는 우리의 지식과 창의력을 자극하며, 인지력을 향상 시킬 뿐 아니라 인생의 다양한 측면에서 간접적인 경험을 터득하게 한다.

따라서 10년 이상 경험해서 얻을 수 있는 지식과 지혜를 짧은 시간 내에 내 것으로 만들 수가 있다. 그래서 독서를 통한 지식기반으로 매사 더 좋은 선택을 할 수 있는 통찰력을 가질 수가 있다.

세계적인 부자 워렌 버핏은 주식을 선택할 때 일반 범위와는 다르게 탁월한 선택을 잘해 나간다. 이러한 선택들이 풍성하게 쌓여서 더 큰 선택을 해야 하는 상황에서도 훌륭하게 함으로써 그 자리까지 왔다.

살면서 알게 된 경험과 지식 그리고 지혜와 노하우를 알게 되면 어떤 상황이 와도 탁월한 선택을 할 수 있다. 그러나 그 수많은 경험을 일일이 다 쌓기에는 시간이 너무 오래 걸린다.

독서를 통해서 알게 된 수많은 지혜와 지식은 매번 어떤 선택을 해갈 때 더 좋은 선택을 할 힘이 된다. 그래서 내가 선택한 대로 삶이 움직여 준다. 그리고 수많은 선택이 모여서 미래의 삶이 결정된다.

책을 읽으면서 삶을 다시 돌아보고 앞으로 어떻게 살 것인가에 대한 답을 얻을 수 있다. 내가 어떤 생각에 확정이 되고 그 생각을 통해서 내가 앞으로 어떤 행동을 해야 하겠다는 행동의 방향이 생기는데 지금은 아무도 없지만 행동하다 보면 내 주변에 그 자리가 더 좋은 사람들로 메꿔지는 그런 결과가 만들어진다.

내가 힘들 때 다른 사람에게 위로와 조언을 구하면 마음이 더 복잡하다. 어떤 사람은 나에게 검증되지도 않은 자기 생각을 펼쳐서 오히려 상처가 될 수 있고, 어떤 사람은 아무 생각 없이 그저 괜찮다고 한다. 확실한 경험과 지식도 없이 판결 내려 버린 사람들의 생각으로 제대로 된 방향의 결단력을 내릴 수 없다. 이럴 때도 독서가 힘이 된다.

책에서 터득되는 위로와 조언은 나에게 상처가 되지 않는다. 저자들이 겪은 일을 썼고 그걸 읽으며 위로와 조언을 얻을 수가 있다. 책은 가장 대중적으로 풀어서 쉽게 이야기를 해준다. 저자가 학교에서 공부하면서 느낀 것이든지 또는 교재에서 읽었던 것이든지 깊이 있는 얘기를 한다. 독서는 시간에 함축된 지식과 지혜의 집약체이다.

독서를 하면 책이 주는 위로를 얻을 수 있고 일단 내 마음이 위로받고 나면 조금 더 즐거운 일을 할 수 있다. 사람들과 어떤 문제로 부딪치면서 힘들 때는 조용히 혼자 책을 읽으면서 내 마음을 한번 들여다

보는 것이다. 다양한 사람들이 오랫동안 경험한 것을 독서로써 짧은 시간 안에 배우고 익힐 수 있다. 좋은 선택과 그에 따른 위로도 받을 수 있는 매개체다.

독서의 필요성을 재삼 강조한다.

## 재능이 노력을 넘을 때

재능이 있어도 노력하지 않을 수 있고 재능이 없어도 열심히 노력할 수 있다.

재능이 있는 사람이 재능이 없는 사람보다 훨씬 더 큰 노력을 한다. 왜냐하면, 노력이라는 것은 재능에 의해서 창출될 수 있기 때문이다.

실제로 재능이 있는 사람들은 그렇지 않은 사람들보다 노력을 더 많이 한다. 일반적으로 살펴보아도 그렇다.

공부를 잘하면 공부를 열심히 할 거고, 운동을 잘하면 운동에 에너지를 투자할 거다. 그 분야에 재능이 없는 사람은 결론적으로 열심히 할 수 없고 안 하게 되는 건 사실이다.

예를 들어 입시처럼 재능과 상관없이 먹고 살기 위해서 최선을 다해야 하는 상황이 아니라면 모든 사람은 자기가 잘하고 흥미 있어 하는 일을 열심히 할 수밖에 없고 못 하면 대부분 안 하게 된다.

사람들은 '정말 열심히 하는구나' '노력이 성공의 원인이구나' 하는 말을 계속 각인시켜 주지만 진짜 성공의 원인은 재능이었을 확률이 높은 거다.

이렇게 말하면 좌절할 수 있는 부분이기도 하다. 노력이라는 것은 재능을 가진 사람이 재능이 없는 사람보다 훨씬 더 하기가 쉽고 많이 하는 것이 사실이다. 재능을 가진 사람들이 재능이 없는 사람들과 똑같은 시간을 투자했을 때 더 많이 실력을 갖출 수 있다.

노력이라는 거는 아무나 마음만 먹으면 할 수 있는 것이 노력이라고 생각한다. 그래서 노력 안 한 것에 대해서 열심히 하라고 다그치기도 한다. 누구나 열심히 하면 할 수 있다는 걸 전제로 말할 수 있다.

누구나 노력은 할 수 있지만 노력한다고 다 실력을 발휘하는 건 아니다. 한 친구는 수학을 1시간만 하고도 잘할 수 있는데 또 한 친구는 3시간을 해도 집중이 안 되고 라면도 먹고 방 정리도 해야 하고 쉬었다가 해야 하고 다양한 일을 한다. 아무나 노력하라고 할 수 있는 것도 아니고 집중하라고 집중할 수 있는 것도 아니다.

또한 현실에서 시간과 경쟁의 장벽이 있다. 경쟁이라는 게 없다면 최선을 다해서 끝도 나지 않겠지만 계속하면 성적이 올라간다. 우리 사회는 잘하는 사람한테 보상을 주는 것이 아니고 남들보다 더 잘해야 의미가 있다고 한다. 학교에서도 취직하는 것도 경쟁이라는 게 항상 있다. 이 모든 것을 이기는 것은 재능이 없는 사람들에게는 불리한 일이다.

이번에 대학에 못 들어가게 되면 재수하게 되고 삼수 사수 계속하게 된다. 이처럼 시간의 이익을 얻을수록 유리해진다. 하지만 언제까지 시간을 이익으로 삼을 수는 없다.

어떤 것은 타이밍 안에 끝내야 하는 것들이 있다. 시간의 제약이 있기에 언제까지 계속할 수는 없는 거다. 남들보다 시간을 두 배로 가지면 안 가진 사람보다 실력이 조금 오를 수는 있지만 나름대로 재능을 가지고 최선을 다했던 친구들을 이기는 건 쉽지 않다고 생각된다.

재능이 있는 친구는 더 열심히 하기도 하고 열심히 한 거에 대해 효과도 훨씬 높은데 이 친구들이 열심히 하지 않고 매일 잠만 자고 쉬면 재능이 없는 친구들에게 희망이 생길 수 있다. 한마디로 토끼와 거북이를 예로 들 수 있다.

거북이가 열심히 달리는 데 토끼가 자만하여 쉬고 있다면 모를까. 재능과 수준이 다른 기준에서 똑같이 열심히 달린다면 토끼가 이기는 건 당연한 결과다.

그런데 지금 공부를 잘하는 친구들은 최선을 다해서 할 수 있는 만큼 다 한다. 그러면 이 친구를 어떻게도 이길 수 없다. 모두가 노력하는 상황에서는 재능이 있는 사람이 월등히 잘할 수밖에 없다. 노력보다는 재능이 훨씬 더 유리한 위치에서 경쟁하는 거다.

성공과 실패에 관해서 얘기할 때, 성공이라는 것이 내가 하는 일을 잘하고 사회적 가치를 인정 받고 보상을 받는 것이다. 예를 들면 돈을 많이 번다든지 지위가 올라가든지 유명해지든지 말이다. 재능을 갖고 태어난 사람이 최선을 다하고 최선의 노력을 다했을 때 효과가 뛰어나다 보니, 이런 사람들을 이기는 것이 생각보다 쉽지 않기 때문에 좌절할 수 있다.

대부분의 사람은 자기가 하는 일에 대해서 재능이 있는지 없는지 거의 다 알고 주위에서도 잘 안다. 그래서 어렸을 때부터 잘하면 가만 놔두지를 않는다. 정말 잘한다고 칭찬해 주고 격려해 준다. 물론 전문적인 트레이닝을 받아야 알 수 있는 분야도 있겠지만 대부분의 사람은 본인이 하면 좋겠다는 걸 알게 된다.

사촌 여동생은 어렸을 때부터 노래를 아주 잘했다. 그래서 어디를 가나 사람들이 많이 모인 자리에서 노래를 시키면 주저 없이 앞에 나와 적당한 제스처와 함께 자신 있게 불렀다. 그녀는 타고난 절대음감과 아무도 따라올 수 없는 가창력을 지녀서 모두들 그녀가 어른이 되면 당연히 유명한 가수가 될 거라고 생각했다. 그녀는 결국 남들에 비해 치열한 입시 경쟁을 치르지 않고도 비교적 쉽게 성악과를 선택해서 유학을 갔다. 이처럼 어릴 때부터 자기가 좋아하고 재능있는 면을 스스로 발견한다면 운이 좋은 케이스다.

재능을 발견하려면 어렸을 때부터 다양한 것들을 시도하고 경험하고 노력해 볼 수 있는 환경이 주어지면 훨씬 더 유리하다. 부모님이 경험도 많으시고 경제 능력도 좋고 열의도 많으신 분들 밑에서 자란 아이들은 다양한 것들을 시도하고 경험하면서 자기에게 맞는 걸 찾아간다.

노력이 성공의 유일한 신이 아니다. 노력이 아니고도 성공을 할 수 있는 요인 중 하나가 재능이고 또 하나가 가정적 환경일 수 있다. 거칠게 노력해야 성공한다고 끝도 없는 노력으로 몰아세우지 않았으면 좋겠다는 바람이 있다. 가정의 환경 같은 운도 따라줬기에 성공도 가능하다고 말하고 싶다.

## 쉼, 그 아름다운 이름

우리는 쉬면서 살고 있을까?

게임을 하면서 쉰다는 사람이 있다. 게임으로 스트레스가 정화되고 재충전을 하면서, 내가 열심히 일해야 하는 일들을 잘 해낼 수 있을까? '열심히 일했으니, 이제는 휴식 좀 하자' 하고 친구들과 모여서 술 마시고 수다 떠는 사람이 있다. 과연 술 마시고 들어오면 재충전되어 다음날 일에 집중할 수 있을까? 원래 하는 일보다 에너지를 더 쏟고 있어 자기 일은 발전이 더 안 되는 수가 있다.

사람들에게 여유 시간이 얼마나 있을까? 그 여유 시간은 많다. 하지만 그 시간에 무엇을 하느냐에 따라 많고 적음이 달라진다. TV나 스마트폰 게임을 하고 있지는 않은가? 실제로 이런 활동을 하면서 '시간이 없다'라고 한다. 우리는 여유 시간 활용을 잘 못 한다. '우리가 쉴 때 무엇을 하느냐'가 중요하다.

일과 공부할 때 인지능력을 쏟는다. 그런데 인지능력은 하루에 한계가 있다. 한마디로 쉴 때 충전을 시켜줘야 한다. 머리를 계속 쓰면 소진이 된다. 언제 회복되느냐면 잘 때나 편안히 산책할 때 아니면 아무 생각 없이 멍때릴 때 회복된다. 쉴 때는 최대한 인지능력을 안 쓰는 방향으로 쉬어야 한다. 뭔가를 집중하지 않을 때 회복이 된다. 공부하는 학생이 공부가 안돼 잠깐 쉬려고 게임을 한다. 쉬는 시간에 또 다른 인지 능력을 쓰는 경우다. 게임도 등수나 점수가 있어 스트레스

받는다. 그렇게 되면 공부도, 게임도 안되고, 스트레스만 받으면서 일주일이 지나고, 공부나 하자하고 집중하려 하면 이미 인지능력이 소진되어, 또다시 반복된다.

스트레스 주는 원인과 분노의 원인이 해결되지 않으면 근본적으로 풀 수 없다. 휴식을 피하면 스트레스를 피할 수 없다. 스트레스가 주는 원인이 어떤 문제이든 풀어야 한다. 해결 안 되면 스트레스는 계속 따라다닌다. 절대 도망가면 안 된다. 나 같은 경우는 책을 집필하면서 또 다른 일을 한다. 무척 바쁘게 일을 하고 집에 들어오면 아무것도 하고 싶지 않다. 일할 때 팡팡 터지는 에너지를 집에 끌고 와서 또 다른 일을 할 수 있을 것 같지만 현실은 절대 할 수 없다는 거다. 나는 휴식 시간에 무조건 자는 편이다. 개인적으로 잠을 충분히 자야 에너지가 충전되는 사람이기에 취침하지 않으면 다음 날이 힘들어서, 늦어도 12시 전에는 잠자리에 든다.

하루에 한 가지 일만 해야 집중이 된다. 주말에 집에서 글을 쓰고 있노라면 남편이 다가와 식사하자고 한다. 나는 얼른 하던 일을 접고 요리를 한다. 물론 사랑하는 남편을 위해 맛있는 밥상을 차려 주는 일은 그 무슨 일보다도 고귀한 일이라고 생각하기에 기쁜 마음으로 준비한다. 이처럼 주부는 바쁘다. 내가 언제 TV를 직접 켜고 봤는지 기억이 가물가물하다.

컴퓨터를 켰을 때 용량이 부족하다는 메시지가 뜬다면 우리는 당연히 불필요한 파일들을 지우게 된다. 멍때리기 같은 행동을 했을 때 우리 뇌는 불필요한 정보를 정리하게 된다고 한다. 명상할 때도 마찬가지로 우리의 뇌는 열심히 불필요한 정보를 지우게 된다. 한마디로 적극적인 휴식을 취하고 있다. 멍때리는 동안 저장 공간을 넓히는 동시에 편안하게 쉬고 있는 거다. 명상같이 모든 자극을 차단하고, 지극히 단순하고 복잡하지 않은 사실에 집중하면 자연스럽게 우리 뇌는 편안해질 수 있다. 이처럼 뇌는 수많은 자극만 차단해도 어느 정도 여유가 생기고 좀 더 편안해질 수 있다.

우리는 수많은 선택사항을 자주 하게 된다. 오늘 일 그만두고 집에서 쉬어도 되지 않을까? 이것만 끝내고 간식을 먹을까? 우리는 언제나 작고 많은 의사결정 상황에 반복적으로 놓이게 된다. 그럼 당연히 뇌는 스트레스를 받게 되고 다시 집중력이 떨어지게 된다. 쉬는 시간에는 아무 생각하지 않고 제대로 푹 쉬어 소진된 에너지를 보충하고 다시 일에 집중하는 습관을 들이면 좋겠다.

헨리포드는 "휴식은 게으름도, 멈춤도 아니다. 휴식을 모르는 사람은 브레이크가 없는 자동차 같아서 위험하기 짝이 없다."라는 명언을 남겼다.

쉼, 그 아름다운 이름에 걸맞은 여유로운 삶을 살 수 있길 희망한다.

## 품위 있는 사람

품위란? 사람이 갖추어야 할 위엄이나 기품을 말한다. 즉 흉내 낸다고 낼 수 있는 게 아니라 몸에 배어 있어야 한다.

세상 사람들 모두가 품위 있는 사람이라면 특별히 돋보이는 사람은 없을 거다. 그렇다면 품위 있는 진정 매력 있는 사람은 어떤 사람일까? 내 생각에는 품위라는 걸 의식하지 않아야 한다고 생각한다. 한마디로 티를 내려고 일부러 노력하는 사람한테는 진정한 품위를 찾아볼 수 없다.

비싼 옷은 좋은 소재로 만들어진다. 그 좋은 소재로 만든 옷은 앉아 있기만 해도 구김이 간다. 그래서 실제 한국 무용가들은 몇천만 원짜리 의상을 입었을 때는 무대에 서기 전까지 절대 앉지 않는다. 조금이라도 구김이 가면 무대에서 멋진 모습을 보여 줄 수 없기 때문이다. 웨딩드레스를 입은 신부도 마찬가지다. 드레스를 입고서는 뛰거나 바쁘게 행동할 수 없고 그 의상에서 나오는 품위로운 여유만을 보여야 한다.

우리가 약속 시간에 늦으면 허겁지겁 뛰어들어 와서 '미안하다' 사과한다. 그런 태도에서도 품위가 없어 보인다. 나는 프리랜서라서 정해진 출퇴근 시간이 거의 없다. 새로운 약속이 생기면 여유 있게 한 시간은 일찍 나와서 약속 장소 주변의 카페에 가서 기다리곤 한다.

품위 있다는 말을 들었다면 그것은 진정한 가치가 있는 칭찬이다. 외모에 대해서 예쁘다. 귀엽다, 건강해 보인다. 라는 말은 자주 하지만, 품위라는 표현은 좀처럼 쓰지 않는다.

품위라는 칭찬은 '예쁘다'는 칭찬보다 훨씬 품격 있는 칭찬이라고 생각한다.

품위가 있는 사람이 인간관계도 좋다. 고상한 느낌 있는 사람은 좋은 에너지가 나오니까 친해지고 싶은 마음이 든다. 그런 품위 있는 사람들은 다른 사람을 배려하는 마음씨나 상냥한 말투와 매너 있는 행동에서 그 사람의 품위가 드러난다.

품위 있는 삶은 행복으로 연결이 된다. 행복을 즉각적으로 느낄 방법은 쇼핑하는 것과 맛있는 음식을 먹을 때이다. 이런 과정에서 자존감을 챙기고 쾌감을 느끼는 거다. 하지만 이러한 과정은 그 순간만이 느낄 수 있는 쾌락이라 계속될 수 없다.

만족감을 느끼고 잘 살려면 힘들고 고통스러움을 이겨낸 후 성취했을 때 진정한 행복을 느낀다.

내 삶의 색깔이 무엇인지 명확하게 알면 진정한 행복을 느낄 수 있다. 100억대 자산가가 되면 행복할 것 같아서 그 돈을 모으려고만 한다면 그전까지는 행복할 수 없다. 자신의 목표 달성이 1억이라면 그 돈이 근접해 오는 걸 아는 것만으로도 행복감을 느낄 수 있다.

나는 초등학교 시절부터 테니스를 쳤다. 아버지가 테니스클럽 회장이셔서 우리 가족은 일찍 부터 테니스에 익숙하다.

나는 결혼하기 전 많은 이성을 만나보았다. 그런데 내가 좋아하는 테니스를 치는 사람은 단 한 명도 본 적이 없다. 대신 취미는 모두가 다 골프였다. 골프 치는 이유를 물으니 '모두가 하는 거고 좀 품위 있어 보이기도 하고 만만한 운동이라....'라는 대답을 들은 적이 있다.

테니스는 뛰어다니는 공을 예상치 못한 순간순간에 빠르게 대처해야 하는 집중력으로 치는 거기 때문에 빠른 반사 신경을 요구하는 운동이다. 그렇다 보니 숨차고 땀나고 딴 생각할 시간이 전혀 없고 짧은 시간에 많은 칼로리를 소모할 수 있는 운동이다. 반면 골프는 스포츠라고 말하기 어려울 정도로 느긋하다.

명품을 온몸에 휘감고 있는데도 정작 품위라는 게 1도 안 보이는 사람도 있다. 결코 비싼 옷을 두르거나 럭셔리한 자동차를 타고 승마나 골프를 칠 줄 안다고 품위 있는 사람이 될 수는 없다.

예쁘고 멋있는 골프복을 입고 폼 잡는 사진을 카톡 프로필이나 인스타그램에서 흔히 볼 수 있다. 반면에 테니스 치는 사람은 나를 제외하고 거의 본 적이 없다. 물론 테니스 복장도 깔끔하고 멋지다. 테니스 레슨을 받고 게임을 할 수 있을 정도로 실력을 쌓으려면 1년 안팎의 기간이 필요하다. 골프는 테니스의 반 정도의 시간으로 충분히 배운다. 그만큼 힘든 일은 하고 싶지 않고 빨리 멋진 옷을 입고 넓고 푸른 들판에 나가서 그럴듯한 포즈를 취하고 싶은 거다. 그렇다고 품위 있어 보이지 않는다. 오히려 동네 아이들이 단체로 축구복 입고 축구하듯 쉽게 즐기는 매우 흔한 모습이라고 밖에는 생각이 들지 않는다.

열심히 땀 흘리고 난 후에는 여유가 생긴다. 그 여유가 주는 행복을 듬뿍 만끽할 때만큼의 행복은 어디서도 찾기 힘들다. 땀 흘리며 열심히 살아가는 사람들의 모습 어디에도 일부러 폼 잡는 태도는 볼 수 없다. 물론 멋있는 태도를 지니면서 사는 건 참으로 중요하다. 진짜 운동다운 운동을 해야 폼도 제대로 멋지게 나오는 거라 생각한다. 진정한 힘이 있는 곳에 품격도 나온다.

진짜 사람들이 존경하는 부자들은 척만 하는 사람들과는 전혀 다른 품위를 갖추고 있다. 상대 입장을 배려할 줄 알고 친절하다. 반면 척만 하는 가짜 부자들은 마치 세상에서 자신보다 나은 사람이 없는 것처럼 행동하고 말한다.

품위가 있는 사람에게서 느껴지는 좋은 에너지는 하루아침에 만들어질 수 없다. 사람의 인격이 하루아침에 만들어질 수 없듯이 말이다. 앞서 테니스와 골프의 비유를 든 것처럼 금방 만들어진 것일수록 진정한 품위가 느껴지지 않는다.

마음속 깊은 곳으로부터 우러나오는 다른 사람을 배려하는 마음씨나 상냥한 말투, 매너 있는 행동도 척만 해서는 진짜 품격이 느껴지지 않는다.

## '나'로부터의 시작

고전은 어느 한 사람의 이야기이긴 하지만 서로 다른 사람들의 이야기들이 동시에 공존한다. 그 시대에 살던 사람을 다른 시대에 맞게 어떻게 재해석하느냐가 중요하다.

동양 고전의 대표적인 고전학자 중에 공자와 노자가 있다.

공자는 사람이 가지고 있는 관계에 대한 중요한 관점은 끊임없이 채우라는 거다. 상대방과 내가 좀 더 좋은 관계를 유지하기 위해서는 충성과 효도를 다 해야 하고, 존중해야 하고, 상대방의 마음을 이해해야 하고, 이것이 유교가 가지고 있는 관계가 지속될 수 있는 중요한 방식이다.

노자는 '아니 어쩌면 더 좋은 관계라는 것은 약간의 비움이 있어야 해'

'사랑한다는 것을 말하는 것도 아름다운 관계를 지속하는 방식이지만, 때로는 정말 사랑하기 때문에 지켜봐 주는 것도 매우 아름다운 관계를 지속하는 방법이야.'

그 시대 현명한 학자들은 서로 다른 방식을 인정했다. 그 시대의 사회적 배경과 상황 또 그 시대를 살아가는 사람들의 가치에 따라서 끊임없이 진리는 변화한다. 진리 즉, 답은 없다고 나는 생각한다.

한국의 관계 관점은 언제나 '희생'이었다. '부모가 자식을 위해서, 또다시 자식은 부모를 위해서 그리고 이 세상을 위해서' 관계를 유지하는 방식이었다. 그 관점도 이제는 많이 바뀌었다고 생각한다. 관계라는 게 영원히 같은 크기와 길이로 지속될 수는 없다. 가족과의 관계도, 사랑하는 사람과의 관계도 계속 변화하며 돌고 돈다.

고전이라는 인문학 정신은 그 관계의 순환을 인정하라고 말한다.

지금 시대의 관계를 지속시키기 위해서는 '나'를 먼저 돌보는 게 가장 중요하다.

관계의 시작점은 '나'로부터 온다. 바로 '나'로부터의 시작이다.

'나부터 사랑하라'

나부터 사랑하는 것이 아름다운 관계 형성의 시작이 아닐까.

나 스스로의 관계에 최선을 다하고 가족과 이웃과 사회로 관계를 확장해야 한다.

이 세상에서는 영원한 관계는 없다. 만남이 있으면 헤어짐이 있다.

내 곁에 없다고 그 관계가 멀어졌다고, 슬퍼하거나 더 나아가서 상처받을 이유가 없다.

고전의 정신인 순환의 관계를 인정하고 '나'부터 돌보자. '나'라는 존재가 있어야 가족도 사랑할 수 있고 더 나아가 나라도 발전할 수 있다.

언제나 '나'를 기억하자.

## 사랑에 대한 뭉뚱그린 생각

누군가와 사랑에 빠지는 순간부터 신비로운 마법의 세상이 열린다. 온 세상이 나를 향해 환한 미소와 함께 두 팔 벌려 환영하는 기분이랄까.

이 사람은 어쩜 이렇게 사랑스러울까. 내가 생각하는 모든 것을 넘어서 어쩜 이렇게 완벽할까. 이토록 아름답고 신비로운 사랑의 나라를 구경하면서 감탄도 하고 사진도 찍고 '영원히 이곳에서 머물고 싶다'고 느끼지만, 어느 순간 '사람은 다 똑같구나' 깨달으면서 무료해진다. 한마디로 콩깍지가 벗겨져서 그 전에 안 보였던 단점들도 보이기 시작해 이곳에서 계속 머물지 아니면 떠날지 결정해야 하는 시기가 오고야 만다.

언제였던가. 연인이 정말 재미있고 적극적이고 그의 삶에는 오직 내가 중심이고 첫 번째였다. 그런데 어느 순간부터 사랑표현을 덜 하고 무뚝뚝해져서 사랑이 식은 걸까 의아해한 적이 있었다. 알고 보니 그의 원래 성격은 애교 많고 나를 보면 가만있지 못하는 성격과는 정반대인 우유부단하고 무뚝뚝한 사람이었다.

연인이라는 낭만에 생활이라는 현실이 파고들 때, 비로소 상대의 참모습이 보이기 시작한다. 이때 활활 불타오르는 '불꽃처럼 뜨거운 사랑'이 아니라 피를 나눈 '가족으로서의 헌신적인 사랑'의 힘을 발휘한다면, 더 애틋한 사랑을 느끼는 상대방의 따뜻한 눈빛을 알아보는 순간, 더 품위로운 단계의 사랑이 시작되는 것이다.

연인과 보내는 시간은 달콤하다. 그런데 누군가 먹어보고 '사랑은 단맛이야'하고 말해준 것도 아닌데 왜 사람들은 사랑을 '달콤하다'고 표현하는 걸까? 사랑을 생각만 했을 뿐인데도 단맛을 느껴지는 것 같다. 뇌는 정말로 사랑을 달콤하다고 느끼는 것 같다. 실제로 연인을 생각하거나 사랑에 빠졌을 때 활성화되는 뇌의 부위는 초콜릿이나 사탕처럼 달콤한 것을 먹었을 때 활성화되는 뇌의 원리와 같다고 한다. 그렇기 때문에 사랑을 떠올리는 것만으로도 약간의 단맛을 느끼게 되는 거다. 그래서 우리의 뇌는 실제로 사랑을 달콤하다고 여기게 된다. '사랑은 달콤하다'는 말이 문학적 표현만이 아니라 과학적으로도 사실이라는 거다.

부부의 사랑은 어떨까?

처음 만나서 서로 알아가며 보내는 시간만큼 설레임은 없을 지라도 그 소중한 사람이 내 사람이라는 확실함에 감사하고 상대에게 내가 꼭 필요한 존재라는 사실만으로도 무척이나 기쁘고 설레이는 사랑. 그것이 부부의 사랑이 아닐까. 서로에게 익숙해지는 관계 즉 가깝게 지내면서 잘 아는 상태가 되었을 때. 막 대해도 된다는 의미가 아니다. 가까운 만큼 더욱 소중하게 배려하고 존중하며 잘 아는 만큼 조심스러워야 할 사이다.

새로운 사람으로서의 빛나는 존재가 지났더라도 오래 함께 한 사람으로 서로의 고마움을 기억하며 평화로운 관계를 유지하려는 사랑,

그 사랑이야말로 마음속 깊은 곳으로부터 새겨진 짙은 사랑이라고 말하고 싶다. 한번 멀어진 마음은 다시 찾을 수 없고 찾는다 해도 껍데기만 얻을 뿐이다. 멀어지지 않으려고 온 마음을 다해 진심 어린 사랑을 전하고 받은 마음을 익숙함에 함부로 당연하다고 생각하지 말자. 서로에 대한 진심 어린 사랑이 깃든 마음이 있고 그것을 표현하는 삶을 살때에 소중한 존재라는 것을 알게 된다.

나는 분홍색을 좋아해서 옷이나 신발을 포함한 대부분의 물건을 분홍색으로 산다. 그러므로 집에 있는 분홍은 모두 내 것이다.

나는 동백꽃을 키운다. 그 꽃이 나만 키워서 볼 수 있는 것이면 얼마나 좋겠냐만 겨울에 피는 아름다운 꽃이라 더 애착이 간다. 여기서 중요한 건 꽃 자체의 특별함이 아니다. 내가 그 꽃과의 관계를 얼마나 특별하고 소중하게 여기는지가 더 중요하다.

이것은 책임과도 연결된다. 사랑에 책임을 지는 것이 바로 사랑을 특별하게 만든다. 각각의 식물도 물을 줘야 하는 시기가 다르다. 사람도 마찬가지다. 상대의 특성에 맞춰서 사랑을 주어야 한다. 남편은 매일 출근할 때 뽀뽀해주길 원하는데 아내가 싫어한다면 어떨까? 당연히 서로의 타협이 필요하다. 상대에게 필요한 만큼의 애정을 쏟는 것. 그것이 바로 관계의 영원한 꽃을 피울 수 있는 아름다운 마음이다.

## 행복해지려면 움직여라

살아있는 한, 단 한 순간도 멈춰 있지 말고 움직여야 한다. 대부분의 사람들이 무언가를 시작하려고 할 때 자신이 준비되었는지 아닌지부터 생각하느라고 시간을 끈다.

예를 들어 누구나 봉사의 중요성을 안다. 하지만 봉사를 시작하기 전에 잠깐 생각에 멈춘다.

'내가 지금 살도 빼야 하고 공부도 해야 하고 남편과 아이들도 챙겨야 하고....' 등부터 시작한다. 그렇게 되면 한도 끝도 없이, 어쩌면 죽기 전까지 봉사란 걸 할 수 없을지도 모른다. 왜냐하면 우리는 언제나 해야 할 일들이 있기 때문이다. '살 뺀 다음에 여유 있을 때 하자' '이번에 외국어 공부 끝내고 여유 있을 때 하는 게 좋겠다.' '이번에 남편이 승진하려면 아내인 내가 잘 챙겨줘야지' 등 여러 가지 이유로 할 일이 많다.

할 일이 없는 사람은 이 세상에 아무도 존재하지 않는다.

준비가 다 되어 있지 않더라도 필요하다고 느끼면 당장 시작해야 한다. 필요하다고 느낄 때가 바로 기회다. 그때가 최고의 타이밍이다. 필요하면 바로 움직여야 한다. 생각하기를 끝내고 나서 움직이려 하지 말고 움직이면서 생각해 보자. 일단 시동을 걸었으니 출발하게 된다. 그러면 목적지로 향하면서 그곳에서 해야 할 일들을 생각하게 되고 도착한 즉시부터 목표를 향한 즐거움을 느끼게 된다. 더는 생각하지 말고 하고 싶으면 제발 즉시 움직이자.

춤을 추면 즐거워진다. 생각만 한다고 절대 즐거워지지 않는다. 춤을 추면 진짜 즐거워질까. 얼마만큼 즐거워질까. 고민하는 시간에 춤추기 시작해보면 바로 알게 된다. 춤을 추는 즉시 알게 될 걸 미룸으로서 평생 머릿속으로만 춤추기를 반복하는 어리석음을 하지 않았으면 좋겠다.

언제부터인가 '발레'라는 무용이 대중화되기 시작했다. 유아들은 일찍부터 발레를 시작한다. 문화센터나 발레학원에서 남자아이들도 흰 티에 검정 바지와 슈즈를 신고 발레하는 모습을 보면 상당히 귀엽다. 성인 여성들은 발레리나가 입는 살색 타이즈에 튜튜치마를 입는 로망에 젖어 들었다. 이는 겉보기에만 여성들의 로망이 아니다. 발레 운동이 신체 건강뿐 아니라 고강도이기 때문에 다이어트에도 효과적이고 근육도 길고 아름다운 선으로 만들어 준다. 힘들어도 땀을 뻘뻘 흘리면서 정신력으로 힘든 시간을 견뎌낸 후에 짜릿하고 뿌듯한 보람을 느끼게 된다. 성취감이라고 할까? 단지 여성들의 운동에만 국한되어 있지 않다. 성인 남성들도 한번 발레를 해본 후 효과를 아는 사람들은 여성들 틈에 껴서 발레를 한다.

발레를 하고 싶은 여성들이 참 많은데 한 가지 안타까운 면이 있다. 통통한 사람들은 헬스장에서 PT(Personal Training)부터 받고 시작한다. 왜냐하면 발레는 날씬한 사람들만 할 수 있다고 생각하기 때문이다. 물론 전공생들은 그래야만 한다. 하지만 취미 특기로 발레를 시작하는 것은 몸이 어떻더라도 아무 상관 없다. 오히려 통통한 사람이 발레함으로써 살이 빠지고 예쁘게 근육이 붙어 자신감이 상승하는 사람들을 많이 봤다.

'난 살 빼고 날씬한 몸으로 발레를 시작해야겠어' 하는 사람들은 평생 발레학원 간판만 바라보다 '언젠가 가야지' 하며 시간을 끈다. 왜냐하면 다이어트라는 게 쉽지도 않을뿐더러 요요가 생기기 때문이다. PT 받고 살 뺐다고 그 몸이 영원히 유지 되는 것도 아니다. 운동과 식이조절을 꾸준히 하면서 관리해야 한다.

발레로 인해 건강과 행복이 모두에게 차별 없는 평범한 일상이 되었으면 하는 소망이 있다. 무엇을 하기로 마음먹었다면 지금 바로 시작해보자. 움직이지 않는 자에게 기회는 오지 않는다.

6장

# 나와 너 사이

## 나를 싫어하는 사람

살아가면서 이유가 있든 없든, 자신을 싫어하는 사람과 대면해야 할 때가 있다.

모든 사람에게 인정을 받을 수 있다면 얼마나 좋겠는가. 그러나 인간관계에서 어떤 누구도 그러한 혜택을 누리는 사람은 아무도 없다. 심지어 인기 많은 연예인도 그들을 못마땅해하고 막말하는 안티팬이 존재한다. 우리는 누구하고라도 상처를 주고받을 수 있다는 걸 인정해야 한다. 단 한 번이라도 나에게 상처 주지 않는 관계는 없다는 걸 받아들이면 상대를 내 편으로 만들려는 강박관념에서 벗어날 수 있다.

나를 싫어하는 상대에게 굳이 더 잘 대함으로써 자신을 좋아하게끔 해야 할 필요성을 못 느끼는 사람이 있다. 나를 싫어하는 사람은 내가 아무리 잘해줘도 그때만 좋은 척할 뿐 금세 어떤 이유를 갖다 붙여서 싫은 이유를 만든다.

그러나 왜 싫어하는지 이유를 생각해 보고 부족한 부분이 있다면 채우려고 노력하는 자세도 필요하다. 하지만 아무 이유 없이 나를 하대하거나 싫어하는 티를 낸다면 더 이상 신경 쓸 필요 없이 상대와 거리를 두면 된다. 그런데 상대를 쉽게 무시할 수 없는 경우가 있다. 예를 들어 학교나 직장에서 의무적으로 함께 지내야 하는 경우라면 어떨까. 그 경우라면 상대를 무시한다기보다 조금 무관심한 게 낫다. 나를 싫어한다고 의기소침해하지도 말고 기분 나빠해서 정신적 에너지를 소모하기보다는 상대에게 최소한의 예의는 다 하되 기대하지 말아야 한다. 그리고 다른 사람과의 관계를 돈독하게 만들어 나를 싫어하는 상대가 나에 대해 최소한 나쁜 언행을 끼치는 일은 피하도록 하자.

이미 죽은 식물을 살리려고 애쓰는 건 쓸데없이 에너지만 소비하는 격이 된다. 그 시간에 살아있는 식물에 집중하자. 주위 사람들도 생각할 수 있는 머리와 보는 눈이 있기에 상대가 나에게 잘못된 언행을 한다 해도 나 자신을 나쁘게 보지는 않을 것이다. 결과가 어찌 됐든 자신은 자기 할 일만 잘하면 되는 것이다. 또한 자신이 성장하고 잘 되기 위해 어떤 노력을 해야 할지 생각해 보면 좋겠다. 취미를 즐기고 특기를 살리면서 자신이 가질 수 있는 여유와 만족감에 좀 더 집중해 보면 좋겠다.

여러모로 자신에게 다양한 도전을 할 기회를 줌으로써 나는 이렇게 발전할 수 있는 사람이라는 걸 알리는 것도 자존감을 향상하는 데 크게 도움이 된다.

그러므로 주위에 나를 싫어하는 사람이 있다면 한 번쯤 이유를 생각해 보고 최소한의 예의는 갖추되 기대는 하지 말자. 그리고 상대가 아닌 다른 사람들과도 좋은 관계를 유지하고 자신이 갖고 있는 에너지를 활용하는 일에 집중시키면 좋겠다.

사실 누군가 나를 싫어할 수 있다. 아무 이유 없이 나를 싫어한다면 내 문제가 아니라 그 사람 문제라는 것을 생각해야 한다. 우리는 많은 사람들을 만나고 관계를 맺는다.

누구나 알게 모르게 욕을 먹는 경우가 있다. 그때 대처법은 사실은 욕을 안 먹으려면 그냥 혼자 아무것도 안 하고 방에 있으면 된다,

4대 성인도 욕을 먹었다. 예수는 욕먹는 걸 넘어서서 죽임을 당했다. 부처와 공자와 소크라테스를 욕하는 사람도 많았다. 누가 나를 욕할 때 기억해야 하는 건 "괜찮다.... 뭘 해도 욕을 먹는다...." 하고 스스로에게 위로를 주자. 욕을 먹는 것은 어쩌면 내 소신에 맞게 잘살고 있다라는 방증이 아닐까 싶다. 남을 만족시킬 수 있는 방법은 없다. 그런데 욕을 먹는다는 거는 한편으로는 좀 뒤집어 말하면 내가 큰 범죄를 저지르지 않는 이상 '내가 지금 잘 살고 있구나....내가 원하는 것을 좀 하려고 애를 쓰고 내가 목소리를 내고 있구나....'라고 생각할 수 있다.

특히 한국은 개인 중심보다는 자기가 속한 집단 조직 중심의 문화가 있다. 자신을 드러낼 때 부정적인 피드백이 올 수밖에 없다. 내가 학생 때 학교 홍보 모델로 광고를 찍었었다. 그다음 날 학교 첫 시간인 체육 이론 시간에 지각을 했다. 반에 들어오는 데 학급 친구들이

다 하나같이 나를 쳐다보길래 (지각이 창피해서) 뭘 보냐고 했더니 그 때 체육 선생님이 하는 말이 "꼴값 떨고 있네"라고 말해서 놀랐다. 그 선생님 생각에는 내가 광고를 찍었으니 스스로 주목받는다고 생각하여 그런 무례한 말을 했나 보다. 그 선생님을 제외한 모든 선생님들은 복도나 캠퍼스 내에서 마주치면 벤치에 앉아서 안부를 물을 정도로 나를 무척 좋아했다. 이처럼 나는 아무 잘못도 하지 않았는데 상대가 나를 싫어한다면 그대로 내버려 두는 것도 방법이다.

어쩔 수 없이 이런 집단주의 문화에서 우리가 삶을 잘 살고 있다면 욕을 먹을 수밖에 없는 거다. 모든 사람들에게 다 잘 보이려고 해서 아무것도 안 했을 때는 비록 욕은 덜 먹을지언정 내 삶에서 나는 아무것도 아닌 게 된다. 우리의 욕구와 감정과 생각과 내가 하고자 하는 일을 하면 이게 잘 되어도 욕하는 사람이 있다. 내가 잘 되도 욕하는 이는 질투하는 거다. 반대로 실수해도 욕하는 사람이 있다. 나를 우습게 보는 거다. 우리가 뭔가를 한다는 그 자체는 사실은 타인한테 존재감과 영향력 그리고 불편감을 미칠 수밖에 없다.

살아가면서 많은 지혜를 배우며 살아가야 한다. 그때는 무시하는 법도 터득해야 한다. 나를 싫어하는 사람은 분명 또 존재할 수 있다.

결론은 나를 싫어하는 타인에게 욕을 먹더라도 소신 있게 내가 하고 싶은 걸 하면서 나의 삶을 사는 게 현명한 삶이다.

## 피하고 싶은 사람

프랑스 현지인들과 한국인이 같은 호텔에 머물면서 함께 프랑스를 여행하는 프로그램이 있어 참가한 적이 있었다. 하루는 축제가 열리는 공원에서 돗자리 깔고 앉아 각자 도시락을 꺼내 먹기로 했다.

사람이 붐벼 할 수 없이 두 자리를 확보해 나눠 앉기로 했다. 한국인 2명 중 미양이라는 사람과 프랑스인 2명이 같은 자리에서 서로가 준비해 온 음식을 함께 먹고 있었다. 그런데 만두를 먹던 프랑스인들이 옆에 있는 수돗가로 달려가 한 명은 음식을 뱉고 다른 한 명은 그의 등을 두드리고 돌아와서, 자리에 있는 미양에게 한국 사람들은 정말 개고기 먹느냐고 물었다. 그들는 한국인에 대한 잘못된 선입견으로 가득찬 사람이었다. 미양은 지금은 그런 문화가 사라졌다고 했다. 그래도 그 사람들은 진짜냐며 의심하듯 비아냥거렸다.

미양이 그 사람들에게 계속 예쁘다며 칭찬을 늘어 놓는 걸 보고 나는 한국 사람으로서 자존심이 상했다. 그 프랑스인은 계속 우쭐하며 식사를 했다.

하루를 보내고 저녁 식사하러 음식점에 들어가 자리에 앉았는데 다양한 색의 작은 돌이 각 테이블보에 장식되어 있었다. 그걸 보고 미양이 "다 예쁜 돌인데 왜 내 돌만 못생겼어?" 하며 얼른 프랑스인 자리에 있는 돌과 바꿨다. 그걸 보고 그들이 "뭐 저런 사람이 다 있냐"는 듯이 깜짝 놀라 서로 귓속말로 하면서 한심한 듯이 다른 데를 쳐다보았다. 미양은 프랑스인들의 속삭임을 아는지 모르는지 웨이터가 귀엽다며 한참 동안 외모 칭찬을 늘어놓았다. 그들은 어울리기 싫어하는 표정을 지으며 듣는 척했다. 그리고 커플로 온 한국인 여자가 혼자 있을 때 앞에 가더니 왜 맨날 긴팔만 입는 줄 알겠다며 팔에 큰 점이 있으니까 가리려고 그런거라며 혼자 깔깔깔 대고 웃으면서 얘기했다. 그 말을 들은 주위 사람들은 너무 못됐다고 소곤대며 아연실색했다. 뿐만 아니었다. 다른 한국인들이 자기를 이상하게 쳐다본다고 나한테 와서 자기의 기분 나쁜 감정을 그들에게 말해달라고 하지를 않나. 또한 식당에서는 다른 자리에 세팅된 수저 포크들은 가지런한데 왜 자기 자리에 놓여 있는 건 삐뚤게 놓여 있느냐며 불평불만을 잔뜩 늘어놓아서 같이 있는 사람을 힘들게 만들었다.

한국에 와서 15년이란 세월이 흘렀다. 어느 날 모르는 번호로 걸려 오는 전화를 받았다. 누가 반갑게 인사하며 자신의 이름을 밝혔는데 오래전 만났던 미양이라는 사람인 걸 알고 깜짝 놀랐다. 내 SNS를 보고 연락했다고 하며 수다를 떨기 시작했다. 그때 만났던 프랑스인이 배우 누구와 닮았다는 말로 시작하여 같이 있었던 한국 사람이 자기를 싫어하는 것 같아서 기분 나빴다는 얘기와 한국에 도착해서 오다가다 공항에서 여러 번 마주쳤는데 아는 척도 안 했다는 말과 함께 같이 온 커플이 싸웠던 이유를 알 것 같다며 결혼까지 안 갔을 거라는 부정적인 얘기만 계속해 댔다.

자기에게 전혀 관심도 없는 프랑스인들에 관해 열과 성을 다해 얘기하는 그녀가 한심했다. 그 사람들이 예쁘든 말든 나랑 상관없는 일이고, 몇 번 말도 안 해본 한국 사람인데 당연하지 않나? 속으로 생각하고 그녀가 말하는 내내 나와 본인 얘기는 하나도 안 하고 도대체 왜 전화했는지 이해가 안 가게끔 비생산적인 얘기만 늘어놓았다. 나는 그녀와의 대화가 너무 시간 낭비처럼 느껴져 양해를 구하고 끊었다.

그런 대화가 나랑 무슨 상관이 있다는 말인가. 남에 관한 이야기만 늘어놓는 사람이 있다. 남 얘기를 하다 보면 흥행에 욕심이 생겨서 험담과 비방 그리고 헛소문 같은 조미료를 치게 되고 또 자기 얘기 아니니 부담 없이 한다.

그렇게 어디를 가도 남 얘기 옮겨 가며 가짜뉴스 퍼트리는 사람과 같이 있으면 신체적, 정신적으로 힘들어진다. 마치 자신의 스트레스를 풀기 위하여 남을 이용해 쓸데없는 수다를 떠는 것처럼 듣기만 했는데도 스트레스가 전달되어 상당히 힘들어진다.

다른 사람의 고난이나 역경, 시기, 질투를 과대 포장하고 붙여야 재미있고 스릴 있는 분위기를 만들 수 있기에 인터넷에서 본 얘기나 연예인 그리고 재벌 얘기 등도 잘한다. 그런 사람들은 자기 콘텐츠가 없는 사람이다. 남을 끌어다가 자기는 뒤에 숨어서 노출 안 시키면서 흥행시키려는 목적을 가지고 있다. 그런 사람은 되도록 거리를 두는 게 좋으니, 의도적으로 안 만난다는 죄책감이 있다면 당장 버리는 게 좋다.

인간관계에서 (꼭 사랑하는 연인 관계가 아니더라도) 상대가 좋아하는 일만 하는 것보다 더 중요한 건 상대가 싫은 일을 하지 않는 것이다. 또한 관계를 지속하기 위해서는 눈치도 있어야 한다.

만약 상대 감정에 대한 공감 능력이 부족하고 눈치가 없다면 상대의 마음을 읽을 수 없어 싫어하는 행동을 계속하는 실수를 저지를 수 있다.

이 자리에 없는 사람 얘기나 상대자랑만 계속해서 듣기보다 혼자서 라면을 먹을 때가 오히려 행복한 것이다.

## “나 원래 그런 사람이야”라는 건 존재하지 않는다

교회에서 평소 친근하게 잘 수다 떨고 지냈던 50대 아주머니가 어느 날 나를 보더니 째려보며 고개를 홱 돌리고 지나갔다. 순간 놀라서 “나한테 왜 저러시지?” 했는데 다음날에도 그다음 날에도 계속 엄청 무례하게 행동했다. 심지어 주보를 나눠주려 그분 자리에 가서 건네는 데 날 보더니 갑자기 고개를 홱 돌려 다른 데를 쳐다보아서 옆에 있는 딸한테 건네주었다.

어느 날은 2층 계단에서 내려오는데 1층에 서 있는 나를 보더니 눈이 동그래지며 겁에 질린 냥 “헉!”하는 소리와 함께 뒤돌아 다시 2층으로 올라가는 것이었다. 또 어떤 날은 교회 가는 길에 그분이 앞에 가셨고 나는 한참 뒤에 가고 있었는데 무심코 뒤돌아 내가 오고 있는 걸 보더니 갑자기 빠른 걸음으로 앞에 가시는 분에게 가서 열심히 수다를 떠는 것이었다. 나는 수나에 집중하는 척하는 그분을 신경도 안 쓰면서 지나가 교회에 도착했다.

한번은 동네 쇼핑몰에서 그 부부랑 우연히 마주쳤다. 그분의 남편분은 “어떻게 여기서 만나냐?” 하며 반가움을 표시했는데 그녀는 인사는커녕 못마땅한 표정으로 남편의 팔을 잡아끌면서 “빨리 가자” 해서 남편은 못 이기는 척하고 갔다. 무슨 일이지 영문을 모르지만, 상당히 불쾌하기 짝이 없는 일이었다. “아무리 생각해도 내가 잘못한 건 전혀 없는데 도대체 나한테 왜 그러시지?" 마치 내가 그분에게 큰 잘못을 한 냥 사람을 왕따 시키는 그분이 참으로 어리석어 보였다. 무슨 일인가 궁금은 했지만 날 보자마자 마치 악마를 본 듯 바로 피하는 그녀를 상대조차 하고 싶지 않았다.

하루는 친한 언니가 나에게로 와 그분에 대해 말하며 자기가 바로 앞에서 인사했는데 인사 안 받더라며 기분 나쁨을 표시했다 그래서 나도 나에게 한 무례한 태도들에 관한 얘기를 해보았다. 그 언니도 예전에 복도에서 그분과 마주쳤는데 바로 앞에서 엄청 무례하게 홱 돌리며 다른 방향으로 갔다고 한다. 언니도 깜짝 놀라 자기가 무엇을 잘못한 게 있나 생각하는 동시에 어떻게 사람을 저렇게 대하냐면서 욕 나왔다고 했다. 한동안 계속 그러길래 다른 사람들처럼 그분에게 상처받고 교회를 관둘까도 생각해 보았는데 그 하찮은 사람이 무서워서 다니던 교회를 그만둔다면 본인이 손해라서 피해 다녔다고 한다.

여러 사람이 그분에게 상처받고 교회를 끊었다는 사실도 알게 되었다.

무슨 이유인지 모르지만, 확실히 짚고 넘어가야 할 것 같아서 그분께 대화 요청을 했다. 평소 내가 앉아 있는 자리로 와 나를 붙잡고 이런저런 이야기 하는 걸 좋아했던 그녀가 어느 날부터 갑자기 태도가 변한 이유가 분명히 있을 거라고 확신했기에 물어보았다. 내가 겪은 이야기를 하니 그분은 자기는 나한테 그런 행위를 한 적이 없다고 한다. 나를 그렇게 쳐다 본 적도 없고 피한 적도 없고 오히려 자기가 왜 나한테 무슨 이유로 그러느냐고 되물었다. 자기는 절대 나를 그렇게 대한 적이 없다고 하면서 다음날도 전화와 자기는 아무리 생각해도 그런 행동을 한 적이 없다고 내가 혼자 오해한 거라고 내 탓을 했다. 자기는 아무리 생각해도 나한테 그런 적이 없다는 것을 강조했다.

"나는 원래 그런 사람이야, 개인적인 감정은 없어, 네가 감성적이라서 그래, 나는 누구와 친하게 지내지도 않고 잘해주지도 않아, 나를 잘 몰라서 그러는데, 난 원래가 그런 사람이야, 그걸 오해했나 본데, 난 원래가 그런 사람이야."라고 하면서 '원래 그런 사람'이라는 것을 계속 강조했다.

영화 '테이큰'이 생각난다. 납치당한 딸을 구하려고 온 아빠가 악당에게 붙잡혔다.

그 악당은 딸의 아빠를 죽이기 전에 하는 말 "개인적인 감정은 없어" 였다. 이 세상에 원래 그런 사람이 어디 있나. 그로 인해 다른 사람이 피해입고 상처 입었다 하면 자신을 되돌아보고 고쳐야 한다. 그렇게 살아왔다면 분명 상처받은 사람이 한두 명이 아닐 것이고 앞으로도 그럴 것이다.

"네가 감성적이라서 그래" "네가 예민해서 그래"라는 말은 무시하자.

그런 행동을 한 게 명백하고 그로 인해 피해받은 사람이 한둘이 아니지만 더 이상 말 길어져봤자 그런 적이 없다고 주장할 거 뻔해서 한마디 했다. "본인을 깊이 생각해 보셔야겠네요"라고 하면서 마무리 지었다. 그랬더니 연장자한테 무례하다면서 본인 혼자서 오해한 거니 자기가 사과할 필요가 없다고 했다.

그 말이 사실이라면 그 사람은 본인이 무슨 짓을 하는지 모르는 거다. 이럴 경우에는 "내가 틀릴 수도 있다"라는 마음을 가지고 자신을 뒤돌아보아야 한다. 지혜로운 사람은 신중한 자세를 지니고 산다. 신중한 자세란 자기 자신에 대해 곰곰히 생각하는 것을 말한다. 자신을 아는 것에서 자신을 개선하는 것이 시작된다.

사람은 자신을 모를 때가 종종 있다. 자신이 한 행동이 타인에게 어떤 영향을 주는지 모를 수도 있다. 사람들이 놀랄만한 엄청난 행동을 하면서 자신이 그런 짓을 했는지조차 모르는 그녀. 여태 인생을 그 나이 먹도록 헛살았다는 게 참으로 불쌍해 보였다.

나는 원래가 그런 사람이라는 건 말이 안 되는 표현이다. 나는 원래가 그런 사람이니 다른 사람이 상처받든 말든 그건 그 사람들이 오해한 본인들 몫이고 "나는 원래가 그런 사람이니 나랑은 상관없는 일이다"라는 건 엄연한 갑질 행위이다.

마치 위대한 존재라서 모두가 자기 스타일에 대해 이해해야 한다는 건 참으로 자기와 주위 사람들 모두에게 불행한 일이다. 연장자라고 다 존중해야 하는 가를, 다시 일깨워 주는 일이었다.

사회집단과의 이해관계나 인간관계도 '원래 그런 건' 존재하지 않는다.

"당신 지금 안 고치면 여태 그랬듯 평생을 욕 먹고 살거다" 하고 누군가 목소리를 낸다면 자신을 되돌아볼까?

다 같이 사는 이 세상에 '원래 그렇다' 는 이유로 남들에게 상처를 주는 행위를 용납할 수 있는 사람은 어디에도 없다.

## 마음이 삐뚤은 사람

친구 유리한테서 전화가 왔다. 시간을 보니 10시였다. 결혼을 앞둔 친구인데 이 밤 중에 무슨 일이 있나 하고 받았다.

유리는 혜진이와의 대화에서 불쾌했던 점을 토로하기 시작했다.

혜진이는 25살 때 결혼했는데 유산을 여러번 해서 29살에 겨우 임신이 되었다.

유리는 뛰어난 외모로 일찍 결혼할 줄 알았는데 29살에 결혼하려고 했던 사람과 헤어지고 그 후 대학원 공부를 시작하면서 공부에만 집중했다.

유리는 정년기에 결혼 못 해서 한마디로 때를 놓쳐 결혼이 많이 늦어졌다.

친구인 우리가 많이 위로해 주었지만, 매일같이 죽는소리 치면서 너무나도 힘들어했다.

하루는 하버드대를 졸업한 사람을 소개받아 만나면서 교재 중이라는 이야기를 혜진이한테 했는데 하는 말이 "너도 참 대단하다. 하버드대 나온 사람도 만나고."라 답해서 유리는 별일 아닌 듯 겸손하게 "나이가 많잖아, 어떻게 나랑 결혼할 생각을 하는지 모르겠어."라고 했다고 한다. 그러니 혜진이가 그제야 이해 간다는 듯 "아.. 그렇구나."라고, 반응했다고 한다. 혜진이랑 통화 끝나고 생각해 보니 묘한 기분이 들었다고 한다.

유리 입장에서 하버드대는 둘째 치고 10살이나 많은 아저씨를 결혼 전제로 만나는 게 그리 자랑할 큰일도 아니고, 자기 정도면 더 좋은 사람도 충분히 만날 수 있을 만큼 자신의 높은 수준을 말한 건데 혜진이가 받아들이길 "그러면 그렇지!" 하며 비아냥거린 것 같다고 상당히 기분 나쁨을 표했다. "대단하다"는 표현은 네가 어떻게 그런 사람을 만나냐는 듯 무시한 것 같았다는 것이다.

그리고 이제 그 남성분과 결혼한다고 발표했더니 웃으면서 축하한다 말한 이후로는 연락이 끊겼다는 것이다. 축하받을 줄 알고 기대에 부풀어 청첩장을 보냈는데 연락도 없고 매년 꼬박 챙겨주던 자기 생일 때도 무소식이었다. 눈치는 챘었는데 혹시 진짜 질투 나서 그러는 건가 하고 한 번만 더 연락하고도 반응이 없으면 이런 친구 필요 없다고 손절하려고 했는데 진짜로 연락이 없었다고 한다.

너무 기가 막혀서 20년 우정을 버리겠다고 선언했다.

혜진이가 그동안 유산 때문에 힘들어했을 때도 유리가 결혼 실패에 대한 아픔이 있었을 때도 서로 위로하고 의지하며 큰 힘이 되어 주었던 우정이었는데....

유리가 이제 미국으로 시집가니 다시는 볼일도 없을 것이고 연락 안 해도 별 탈 없을 것 같아 끊기로 했던 모양이다.

진짜 질투가 나서 친구를 저버리다니.. 나도 같은 여자지만 여자들은 정말 너무 유치하다는 생각이 들었다.

혜진이가 질투심이 많고 삐딱한 성격을 가진 건 사실이었다. 그녀의 남편이 공대 출신인데 다른 친구 결혼식에 가서 신부대기실에서는 큰소리로 활짝 웃으면서 축하해 주며 사진도 찍고 하더니, 결혼식

후 식사할 때는 "아무것도 없는 저런 남자랑 누가 결혼을 하냐? 재니까 하는 거지!" 하며 무시했다. 결혼하는 친구의 신랑은 누구나 들어가고 싶은, 최고의 학교를 졸업한 공대 천재인 사람이었기 때문에 시기심이 났던 것이다.

혜진이는 E 여대 나온 친구가 결혼할 때도 깎아내렸었다. 거기 나온 사람치고 외모가 괜찮은 사람 한 번도 못 봤어. 주희 걔도 평범하니까, 할 거 없으니 교회 취직한 남자랑 결혼하지. 걔가 무슨 친구야, 같은 교회니까 친한 거지. 흥. 청첩장 안주면 결혼식 안 갈 거야. 라고 한 적도 있었다.

그래서 유리가 "너 설마 내 욕도 주희한테 한 거 아니니? 유리 걔 예쁘면 다냐? 하고" 그러니 혜진이가 "너랑 어떻게 주희랑 비교하냐? 넌 나의 베프야"라고 얼른 받아쳤다고 한다.

모든 걸 순수하게 곧이곧대로 보지 않고 삐뚤게 보는 사람이 있다.

유리가 혜진이에 대한 서운한 마음과 동시에 친구로서 미련이 안 남는다고 하면서 정말 이상한 아이라고 정떨어져서 다시는 안 볼 거라고 했다.

예전에 처음 결혼하려고 했을 때 모두가 부러워했고 혜진이도 역시 부러워했었는데 지금도 그렇게 부러워하면 되는데 안 어울리게 무슨 자기한테 질투 시기냐고 고개를 저었다. "예전처럼 순수하게 받아들이기에는 내가 그동안 아픈 인생을 살아왔고 자존감이 박탈되어 죽는소리 많이 친 것이 혜진이가 생각하기에 참 안됐다고 생각했나봐. 그런데 갑자기 잘되니 신경 쓰이는 지, 걔가 이렇게 배신할 줄이야....

그래서 슬플 때 위로해 주는 건 쉽지만 기쁠 때 함께 기뻐해 주기는 진정 힘든 건가 봐"

가까운 친구는 영원할 것 같다. 그렇지만 언제든 변수가 생기기 마련이다. 가까웠다가 멀어지기도 하는 것이 인간관계다. 상대를 가리지 않고 모두와 친해지려는 것은 무모하다. 멀리 두어야 좋은 것도 얼마든지 있기 때문이다. 해로운 것은 골라내야 이롭다. 농사를 지을 때 잡초는 뽑는다. 미워서 뽑는 게 아니라 집중과 선택의 원리이다. 친구 관계에서도 솎아내는 작업이 필요하다고 생각한다.

결국 떠날 사람은 떠나고, 앞으로 당신과 잘 맞는 사람이 또 그 자리를 채워 줄 것이다.

내가 슬플 때, 아플 때, 괴로울 때 곁에서 더 슬프고 더 아프고 더 괴로워해 주는 사람이 있다면 그 사람은 좋은 사람이다. 내가 기쁠 때, 행복할 때, 즐거울 때 더 기쁘고 더 행복하고 더 즐거워할 수 있다면 그 사람은 훌륭한 사람이다.

## 나를 지배하고자 하는 사람

보통 사람들은 좋은 성격 즉 싸우는 걸 싫어하는 선한 심성을 가졌지만 안타깝게도 그런 마음을 이용해서 공격하려는 나쁜 사람에게 당하는 관계가 될 수 있다.

친구 은혜는 학교 미술부에서 같이 공부하는 애들 때문에 힘들다고 토로한 적이 있었다. 미술실에서 열심히 작업하고 있는데 다른 학급 친구 2명이 소리 지르며 싸우고 있었다고 한다. 그중 세빈은 항상 자신이 왕인 듯 남의 기를 꺾어 버리고 지배하려는 사람이다. 세빈이 다른 애한테 시비를 걸어 싸우는 걸 은혜는 관여치 않고 자신이 하는 일에 집중했다고 한다. 자기네들이 실컷 싸운 후 세빈이는 열심히 집중하는 은혜한테 소리 지르면서 “야 너 이리 와봐. 친구들이 싸우고 있는데 말리지도 않냐? 네가 그렇게 잘났어?” 하며 오히려 작업하는 데 방해했다며 미안하다고 하지는 못할망정 적반하장으로 나온 것이다. 싸우고 싶지 않아서 되레 미안하다 하고 자리를 피했다고 한다.

세빈 같은 사람에게는 더 센 자가 필요하다. 그런 사람은 자기가 화났으니 멀쩡한 다른 사람에게도 화를 전염시켜 싸우려는 의도를 가지고 있다. 이런 경우는 한 대 맞으면 두 대를 세게 쳐서 맞설 줄 아는 깡이 있으면 좋은데, 그렇게 못할 경우는 자리를 피하는 게 상책이라고 생각되어서 나도 그런 은혜에게 잘했다고 해주었다.

대학생인 민지는 과에서 열심히 자습하고 있는데 누가 갑자기 뒤통수를 세게 때려서 엄청나게 놀라 뒤를 돌아보았다. 나이 많은 언니가 잡지에서 나온 오늘의 운세를 읽는 중에 앞자리에 있는 "M" 자가 들어간 애가 훗날 뒤통수를 칠 사람이라고 조심하라고 쓰인 글을 욕을 하면서 보여주었다고 한다. 너무 황당했지만 싸우고 싶지 않아 기분 나쁜 티를 내지 않고 무표정으로 다시 공부에 집중했다고 한다.

살다 보면 별의별 사람들을 다 상대하게 된다.

모든 사람에게 일일이 자초지종을 따지고 힘 빼기보다는 그냥 무시하고 거르는 게 가장 좋은 방법이다. 그런데 아무 반응을 하지 않고 포커페이스로 한다면 상대는 더 만만하게 여겨서 선을 넘어오려고 할 것이다.

선을 넘어서 공격해 오는 사람들에게 하면 안 되는 것이 있다. 절대 웃음을 보여주면 안 된다. 그것만큼 무시당하기 딱 좋은 조건의 사람은 없다.

서진은 같은 교회에 다니는 영애에게 반복해서 무시를 당했다. 피아노 반주자인 서진이 피아노를 치는 날에 영애가 어김없이 사람들 앞에서 피아노 반주가 기계 같아서 도무지 영감을 느낄 수가 없다면서 다른 사람이 찬송가 반주를 맡는 게 어떻겠느냐고 불평을 늘어놓았다. 서진은 어떤 기분 나쁜 눈초리나 변명도 없이 가만히 있었다.

하루는 예배실 앞에 서 있는데 영애가 저만치서 오더니 서진 앞에서 잡아먹을 듯이 무섭게 눈을 부릅뜨고 고개를 홱 돌리며 들어갔다고 한다. 서진은 영애가 자기한테 도대체 왜 그러는지 모르겠다고, 자기가 크게 잘못한 게 있는지도 생각해봤다고 한다. '아무리 잘못한 게 있다고 쳐도 사람에게 그렇게 대하는 몰상식한 사람이 다 있나' 하고 사람들에게 욕하면서 풀었다고 한다. 무섭고 기분 나빠서 한동안 피해 다녔는데 어느 날 자기에게 다가와 다정하게 안부를 물어서 자기가 오해한 거라고 생각했다. 그러나 그것도 잠시였다. 며칠 뒤 또 무서운 눈으로 째려보면서 아래위로 훑터 보며 지나가는 일을 몇 번 겪다가 또 잘해주었다고 한다. 영애가 무슨 이유로 그러는지 알 수 없지만 그럴 때 마다 무슨 반응이 있었어야 했다. 그래야 본인이 한 행동을 알아차리고 멈췄을 거다. 무례하게 대할 때는 겁먹고 잘해줄 때는 또 언제 기분 나빴냐는 듯이 웃으며 비위 맞춰주고를 반복하니 영애가 만만하게 보는 것이다.

서진이 영애에게 그런 일로 불편함을 느낄 때면 영애 앞에 엎드리며 죽는소리 쳐서 고민 있다고 기대면 조언해 준다고 한다. 그 말을 듣고 참 안타까웠다. 영애는 더욱 자신의 잘못을 모르고 마치 상사인냥 위에서 내려다 볼텐데 자존심도 없나하는 생각이 든다. 무례한 태도에 즉각 반응하지 않고 영애의 기분에 따라 맞춰주면서 사는 그녀가 한편으로 불쌍하게 느껴졌다.

'착함'은 올바른 상황에 매너 있게 행동하는 것이다. 상대가 휘두르는 방망이에 어떠한 대응도 하지 않고 맞아도 안 아픈 척하는 건 착하다고 말할 수 없다.

자신을 공격하는 순간 더 이상 상대의 눈치를 보거나 잘해 줄 이유가 전혀 없다.

교회에 가면 목사님이 늘 하는 말이 있다. "서로 사랑하라...." 성경 말씀을 하시며 예수님은 이러이러한 원수도 사랑했는데 우리도 사랑

못 할 사람이 없다. 용서하고 사랑하는 게 착한 사람이고 덕이 있다고 생각한다. 하지만 우리는 옳고 그름을 판별할 수 있는 생각이 있는 인간이기에 무슨 일이 있더라도 늘 서로 사랑할 수는 없다. 또한, 그래서도 안 된다.

자신이 화가 났으면 상대에게 표현을 해야 한다. 그냥 포커페이스로 넘어 간다면 다음 번에도 또 그런일이 반복되고 만다. 상대가 무례하게 군다면 웃지 않고 심각한 표정을 지어 보자. 그래도 계속 무례하게 군다면 콧방귀를 뀌어 보자.

"상대와 맞서야 하는 상황이 싫어서 피하다 보면 결국 자신만 상처받는다. 칼에 베여 피가 철철 흘리는 사람이 아프다고 호소하는 건 당연한 거다. 치료해 주는 의사나 칼을 휘두른 사람이 자신만큼 아파해 줄 리는 절대 없다. 다른 사람들은 우리가 기대하는 것보다 훨씬 더 남의 고통에 무지하고 둔감해서 말하지 않으면 자신의 희생은 당연한 게 되고 만다. 그러니 억울하다면 확실히 말하자. 그 어떤 지혜도 자신의 본성을 억누르고 희생해야 할 만큼의 값어치가 없다."*

많은 사람들의 생각을 맹목적으로 따르지 말자. 설사 그 사람이 사회적으로 인지도가 있는 사람이라 할지라도. 사회적으로 성공했다고 인간관계도 성공했다는 말은 아니다.

한 집단의 리더가 잘못 했을 때 그럴 수도 있다고 생각하고 봐주는

---

* 스튜디오 오드리.『모두에게 사랑받을 필요는 없다』.이평.2022.03.21

경향이 있다. 그것은 리더만이 가질 수 있는 특권일지 모른다. 단순히 리더만이 아니라 외모가 단정한 사람이 실수해도 우리는 웃으면서 넘긴다. 오히려 '실수해야 정상이다, 인간다워 좋다, 너무 완벽하면 재미없잖아,' 하는 경우를 종종 볼 수 있다. 이렇게 사람들에게 선망이 되는 사람들이 잘못된 언행을 해도 그럴 수도 있다며 넘긴다.

때로는 남들이 그렇게 생각하니까 자기 생각은 그들과 달라도 할 수 없이 따르는 경우가 있다. 특히 목소리 큰 자 즉 '힘 있는 자'가 주장할 때는 "맞아, 그럴 거야" 하며 힘 있는 자의 말에 동조하며 그편에 서게 된다. 그게 정말로 그 사람 말이 맞다고 생각해서일 수도 있고 센 편에 속해야 사회생활이 편해져서 그럴 수도 있다.

그러나 우리는 신조 있게 살아가자. 자신의 생각을 펼친다면 그 무리에서 분명히 자신과 같은 생각을 지닌 사람들이 하나둘 생겨나게 될 것이다. 그렇게 되지 않더라도 자신의 의견은 충분히 존중받아야 한다는 점을 기억하며 살자.

## 친구란

젊을 때는 이성 친구도 사귀고 때론 친구한테 소개도 해주게 된다.

대학교라는 학교 교육과 직장이라는 사회 교육에 첫발을 내딛게 되고 젊음의 거리를 걷고 그 시절만의 감성을 만끽할 수 있는 다양한 곳들을 방문하려면 친구가 절대적으로 필요하다.

하지만 점점 나이를 먹어감에 따라 친구라는 존재가 더 이상 그리 필요하지도 중요하지도 않을 때가 온다. 하나둘 결혼하면서 남편이라는 인생의 소중한 사람과 함께 하게 되고 또 자녀를 키우면서 친구들과의 만남은 확실히 예전만큼은 못 하다. 또한 살아가면서 이동이 있고 배우자와 자녀로 인해 여러 변수가 생긴다. 그렇게 되면 아주 친했던 친구도 어느새 남이 되어 버리고 어쩌다 만난다 해도 편하지 않다. 비밀 하나 없이 모든 것을 다 얘기하고 지냈던 사이도 각자의 삶과 가정의 프라이버시가 있어 이웃보다도 잘 모르는 사이가 되기 쉽다. 그것이 정상이다. 가장 친했던 친구가 오히려 귀찮게 느껴질 수 있다.

친구 사이는 변하는 존재다. 또한 친한 친구라는 개념이 학창 시절에는 모든 걸 다 터놓고 말할 수 있는 사이였다고 하면 현재는 결혼이나 자녀 유무 그리고 사회적 특성에 따라 바뀔 수 있다. 한마디로 세월이 흘러 환경이 자연스레 바뀌게 되니 사람도 바뀌게 된다.

친구란 건 원래 다 부질없다. 친구한테 잘할 바에는 배우자와 자식에게 잘해야 한다.

모든 이웃에게 퍼주어서 좋은 사람이라고 칭찬받는 것은 똑똑하지 못한 처사다. 받을 때는 좋아해도 속으로는 '이럴 필요 없는데 왜 이렇게 잘해줄까, 모두에게 잘해주겠지, 나한테만 잘해주는 것은 아닐 거야'라고 생각하며 고마워하지도 않는다. 친구는 그냥 친구일 뿐이다. 좋은 친구 만들려고 노력할 필요도 없고, 내가 누군가한테 좋은 친구가 되겠다고 생각하지 않아도 된다. 살다 보면 진짜 도움을 주는 건 전혀 생각지 못한 사람일 때가 많다. 그리고 살다 보면 나를 가장 힘들게 하는 건 가장 가까운 사람인 경우가 대부분이다.

예전에 TV방송 '이것은 실화다' '기막힌 이야기-실제상황'을 보면 항상 끝에 배신하는 사람은 가장 친한 친구 아니면 가장 친한 이웃이다. 사건 내용은 다 달라도 주인공인 피해자가 결말에 범인을 알고 나서 눈 동그래지면서 믿기 힘든 충격 먹은 표정으로 하는 대사는 언제나 같다. "너가 왜 나에게...." "너가 어떻게 나에게 ...." 이다. 이처럼 친구는 자기 필요에 따라서, 아니면 질투나 시기해서 언제든지 변할 수도 있다.

친구는 가장 가까우면서도 멀어질 수 있고, 잊은 듯해도 영원한 우정으로 남아 삶에 훈기를 줄 수도 있다.

친구가 있어야 한다는 사람도 있고 필요 없다는 사람도 있지만 다 맞는 얘기다. 혼자서 놀지 못하는 사람은 친구를 찾지만 혼자서도 잘 즐기는 방법을 터득한 사람은 씩씩하고 행복하게 잘 지낸다.

나이가 비슷해야 친구라고 여기는 경향이 있는데 꼭 그렇지도 않다. 또래가 아니더라도 위, 아래로 나이 차이가 많이 난다 해도 만나서 편하고 즐거우면 친구라고 여겨도 좋다. 언니, 형, 동생이란 호칭을 쓰더라도 말이다.

교회에 다닌다면 신도들하고도 친구가 될 수 있고 동네 이웃도 친구가 될 수 있고 어떤 특정 모임에 가입해서도 부담 없이 친구를 만들 수 있다. 꼭 친구라고 특정 지을 필요도 없다. 서로 대화를 비롯하여 통하는 게 있다면 그것이 바로 친구다.

나에게 다정하게 말 걸어준다면

**발행** 2024년 01월 30일
**지은이** 오은하
**디자인** 조미진
**펴낸이** 정원우
**펴낸곳** 글ego
**출판등록** 2019.06.21 (제2019-000227호)
**주소** 서울시 강남구 강남대로 118길 24 3층
**이메일** writing4ego@gmail.com
**홈페이지** http://egowriting.com
**인스타그램** @egowriting

**ISBN** 979-11-6666-441-0